U0114487

比較圖書館學導論

薛理桂／主編

薛理桂、李淑芬、劉淑娟
林雯瑤、周良圓、陳亞寧　編著

臺灣 學生書局 印行

王　序

　　「比較圖書館學」在圖書館學學科中屬於一新興的科目，究其發展，倡始於二次大戰之後，而盛行於六〇年代迄今。目前在各國圖書館學研究所、系大多開授這一科目，名稱或與「國際圖書館學」並稱，課程內容則遵循一定的研究方法進行。美國匹茲堡大學圖書館與資訊科學研究所於1964年曾建立一所「國際圖書館資訊中心」，透過資訊、訓練和專題研究等活動支持「比較圖書館學」的研究與推廣，由此可見其受重視之一般。

　　「比較圖書館學」的定義及研究範圍曾有不同的詮釋和看法，一般而論，多指係就不同國家的圖書館或是同一地區不同圖書館之比較研究而言。不過由於歐美學者對比較圖書館學究屬跨國度的研究，或是包括同地區各圖書館的研究有不同的認知程度，無形中也產生了不同的學術流派。甚至「國際圖書館學」與「比較圖書館學」兩者的主從關係如何，也有相對的意見。

　　比較圖書館學近年來所以受到國內外圖書館界和教育界的重視，原因很多，較重要的影響因素有下列兩點：

　　首先是圖書館事業的成長因各國文化、教育的發展，以及社會資訊需求的關係而日見興盛。在發展過程中，每因各國文化背景、教育體制、經濟條件與社會結構不同，在圖書館的設置理念和經營管理方式上，有其個別的做法。各國之間往往有其相同或差異之處。爲研究圖書館事業的一般發展規律，分析在不同制度下圖書館經營之成效，並評估各自經營管理之得失，藉資取其所長，去其所短，比較圖書館學乃應運而生，成爲圖書館學中的一重要學科。

其次，比較圖書館學的盛行也受到其他學科的影響，一方面是近年來資訊科學（ Information Science ）的進展，另一方面是教育學中比較方法的運用。資訊科學的發展在實務上，主要在利用電腦與通訊技術，加強資訊的儲存、處理和應用。自動化作業設備與網路系統的建立，使資訊處理更爲迅速，檢索更爲便捷，並使館際間的合作，資源共享的理想更易達成。除此之外，更爲重要的是資訊技術的運用增進了人類意念的交流與溝通，也增進了國際間圖書資訊界的交往。爲了知己知彼，謀求新技術的引進與運用，比較圖書館學擔負起相互了解、研究及比較的功能。

另就比較圖書館學的方法而言，其常用的方法一如其他學科所採用的方法，如描述法、統計法、歷史法、社會學法及歸納演繹法等，而其特有的方法則爲比較研究法。這種方法主要是對相同事物的不同方面，或是同一性質事物的不同種類，透過比較而發現其共同點或差異點，謀深入認識事物的本質。這種方法所採用的四項過程：收集、解析、類分、比較，可說是源自George Bereday 所發展的比較教育研究之一模式。所以我們可以說比較教育學研究方法的基礎上所發展的一門學科。

臺灣圖書館學教學機構開授比較圖書館學課程已有二十年的歷史，目前在臺大、師大、輔仁、淡江、文化各大學圖書館學或相關學系、所都將其列爲選修科目之一。爲便利教學及研究的參考，薛理桂教授特指導淡大研究所同學就有關資料加以整理，分章介紹。其內容包括定義、沿革、方法、個案及國際圖書館組織等，並附課程大綱等參考文獻。本人深信本書出版後，必有助於各校教學研究；更便於圖書館界有興趣人士對比較圖書館學內涵之瞭解，特簡介如上，並對本著之出版表示賀意。

王　振　鵠

民國八十三年一月二六日

薛　序

　　比較圖書館學此一課程在國內的開設肇始於民國61年，迄今已逾二十年。二十多年來在國內圖書館系所斷斷續續開設此課程，只惜至今國內仍未有一本比較圖書館學的專著。筆者於民國67年就讀於中國文化大學史學研究所圖書文物組時，曾選修比較圖書館學課程，至民國82年任教於淡江大學教育資料科學研究所，擔任比較圖書館學課程。十五年來變遷迅速，國內近年來對此學科之研究有逐漸重視之趨勢。因感於國內對此學科雖已開設有二十餘年之歷史，但仍缺乏專書可供學習者參考，因而與研究所學生共同執筆。此書係將以往到目前對此學科有研究的專著做整理的工作。論著包括的地區除歐美外，也將大陸及國內若干學者之重要文獻蒐集在內。此書僅係拋磚引玉之作，希冀國內能有更多的相關著作出版，對研究者方便，對學習者而言亦可節省學習的時間。

　　本書共分六章，第一章緒論，由薛理桂執筆，包括五節。第一節針對比較圖書館學及相關的詞彙如：外國圖書館學、國際圖書館學、世界圖書館學、泛圖書館學、國際機構圖書館學、比較與國際圖書館學、國際與比較圖書館學等詞彙給予定義；第二節係多位學者提出比較圖書館學範圍；第三節是比較圖書館學的目的；第四節是有關比較圖書館學的爭議，包括三項：(1)比較圖書館學與國際圖書館學如何區分？(2)比較圖書館學是一門學科或是

一種研究方法？(3)比較圖書館學是否有國家（地區）之限制？第
五節是結語。

第二章發展歷史與研究現況，亦由薛理桂執筆，共分六節。
第一節爲發展歷史，敘述比較圖書館學的發展歷史；第二節西文
相關文獻分析，針對LISA中所刊載有關比較圖書館學的文獻分
析；第三節是各國研究情況，以美國、英國、我國及大陸四個地
區爲主，描述比較圖書館學的研究情況；第四節是專業學會，以
美國與英國兩國的比較圖書館學及國際圖書館學專業學會爲主；
第五節有關刊物，敘述國際上與比較圖書館學及國際圖書館有關
的刊物；第六節是結語。

第三章方法論，由李淑芬、陳亞寧與劉淑娟三位負責撰寫，
共包括五節。第一節是研究與科學方法；第二節是比較圖書館學
的方法論，這兩節都由李淑芬撰寫；先從宏觀的觀點敘述研究及
科學方法，再論及比較圖書館學的方法論；第三節是比較圖書館
學的研究過程，由陳亞寧負責，對於該學科的研究過程有詳盡的
敘述；第四節是比較圖書館學的研究類型，由劉淑娟撰寫，分析
對該學科的研究分類；第五節是結語，由三人執筆。

第四章個案研究，由林雯瑤執筆，共分六節。其中包括三篇
國內的碩士論文及國外的三篇英文文獻。實際從事比較的研究並
有具體的成果，其研究方法、研究對象、研究過程都值得仿效，
因而此章選取國內、外的比較研究個案，以供有志於從事此方面
研究者參考。

第五章國際圖書館組織，由周良圓負責撰寫。國際圖書館組
織雖屬於國際圖書館學的範疇，但由於國內這方面介紹的文獻並
不多，爲使國內對國際圖書館相關的組織多所認識，並視爲從事

比較圖書館學研究的基本知識，因而加入此章。

　　第六章結論與建議，由薛理桂執筆，分爲結論與建議兩節。結論部分係總結以上各章的敘述；建議部分針對國內發展比較圖書館學，提出五項建議。

　　除以上本文外，本書尚包括三個附錄，都係比較圖書館學或國際圖書館學教學的課程大綱。這些課程大綱雖然稍嫌舊了些，但對於國內有意開設此課程的系所而言，仍值得參考，因而附於書後。

　　參與本書的編寫，除本人外，尚包括：李淑芬小姐、劉淑娟小姐、林雯瑤小姐、周良圓小姐與陳亞寧先生等五人。她（他）們五人都係選修淡江大學教育資料科學研究所「比較圖書館學」的研究生。由於她（他）們五人的共同參與，使得此書方得以問世，所謂教學而相長，實不誣也。本書寫作期間，承蒙國立中央圖書館編纂張錦郎先生鼓勵並提供大陸方面寶貴資料，謹致謝忱。

薛　理　桂

民國八十三年二月十五日

於國立空中大學教資中心

比較圖書館學導論

目　次

圖 目 次

表　目　次

第一章　緒　論

本章包括四節，第一節將探討與比較圖書館學有關之專門術語與定義；第二節探討比較圖書館學的範圍；第三節探討比較圖書館學的目的；第四節是有關比較圖書館學的爭議；第五節結語，分述於後。

第一節　定　義

本節將對比較圖書館學及其相關的詞彙給予定義，包括的詞彙如下：一、外國圖書館學（Foreign library science）、二、國際圖書館學（International library science）、世界圖書館學（World librarianship）及泛圖書館學（Metalibrarianship）、三、國際機構圖書館學（International institutional library science）、四、比較圖書館學（Comparative librarianship）、五、國際與比較圖書館學（International & comparative librarianship）、六、比較與國際圖書館學（Comparative and international library science）等，本節將依不同學者的觀點逐一給予定義。

在專有術語的英文部分，如："Library science"與"Librarianship"，在本文中是屬於通用，不加以區別。雖然通常圖書館學者將"Library science"譯爲「圖書館學」，係指較具學術性的學科；而"Librarianship"譯爲「圖書館事業」，是指圖書館實務（Harvey, 1977：vii）。本文將兩者都譯爲圖書館學。

一、外國圖書館學（Foreign library science）

哈維（Harvey, 1973：301）對外國圖書館學所下的定義：

> 描述作者本身國家以外的一國或多國的圖書館運作，不包
> 括比較及國際機構圖書館學。

由以上的定義可看出，外國圖書館學只是了解本身以外的國家的圖書館事業，但並未包括比較的成分在內。例如：李志鍾編著（民61）《美國圖書館業務》、郭成棠（民69）《美國圖書館事業的成究和趨勢》、薛理桂著（民82）《英國圖書館事業綜論》等都屬於此範疇。嚴格來說，外國圖書館學係包括在國際圖書館學的範圍內，因而目前已較少使用此一專有名稱。

二、國際圖書館學（International library science）、世界圖書館學（World librarianship）及泛圖書館學（Metalibrarianship）

由於國際圖書館學、世界圖書館學及泛圖書館學三個專有詞目在意義上較爲類似，因而歸併於一處討論。

（一）　國際圖書館學

有關國際圖書館學（International library science 或稱爲 International librarianship）的定義，有多種不同的定義，依年代順序敘述於後。

哈瓦德·威廉斯（Havard—Williams, 1972：70）對國際圖書館學下的定義是：

> 圖書館事業的合作活動，爲了對全世界各個圖書館員有所助益。

哈維（Harvey, 1973：301）所下的定義：

> 是一廣泛的名詞，像雨傘狀，包括整個圖書館國際關係及非國家圖書館科學研究的範圍，下分三大類及四小類。

帕克爾（Parker, 1974）認爲國際圖書館學有三種主要的功能：

(1) **提供服務；**

(2) **促進服務；**

(3) **資訊轉移**（Information transfer）。

他對國際圖書館學所下的定義是：

> 國際圖書館學係由世界上兩個或以上國家的政府或非政府機構、組織、團體、或個人所執行的業務，以促進、建立、發展、維持及評估圖書館、文獻及相關的服務、圖書館事業及圖書館專業。

倪波、荀昌榮（1981：306）對國際圖書館學系下的定義是：

國際圖書館學的含意是指圖書館實踐和理論的跨國度、跨民族範圍內的活動，通常指兩個或兩個以上國家中個人和團體間的各種聯繫，是指國際合作、交流的各種方式。涉及援助不發達國家、交換學者、學生，講授外國圖書館體制以及不同國家內圖書館系統的研究等。

（二） 世界圖書館學

克雷茲與李頓（Krzys & Litton, 1983：3）提出「世界圖書館學」（World librarianship，或稱為 World study in librarianship），並將其定義為：

在某一時期（可以是現在或過去），有關世界各地圖書館事業狀況之濃縮。

（三） 泛圖書館學

克雷茲與李頓（Krzys, 1974；Krzys & Litton, 1983：3）並主張形成一「泛圖書館學」（Metalibrarianship），其定義為：

研究全世界圖書館事業之哲學與理論，經由調查來檢視此一概念，亦即從事圖書館事業之世界性研究（傅雅秀，民81）。

由上述的定義可看出國際圖書館學、世界圖書館學及泛圖書館學這三者都是以研究世界各國圖書館事業為範圍。筆者以為這三者可以國際圖書館學統稱。以國際教育學而言,是指國際間合作、了解和交流的各種方式,如:交換教師和學生、援助發展中國家、講授關於外國教育制度等都屬於國際教育的範疇(倪波、荀昌榮,1981)。國際圖書館學和國際教育學相似,也是尋求國際間圖書館事業的合作、了解與交流。例如,黃端儀著(民71)《國際重要圖書館的歷史和現況》一書即屬於國際圖書館學的範疇。

三、國際機構圖書館學 (International institutional library science)

哈維(Harvey, 1973)對國際機構圖書館學所下的定義:

係指有關國際圖書館、組織、機構和協會。

由哈維對國際機構圖書館學所下的定義可看出主要以研究國際間各圖書館相關之組織或機構為主。如以廣義的定義而言,國際機構圖書館學似可涵蓋於國際圖書館學之內,不需另立一支研究。

四、比較圖書館學 (Comparative librarianship)

「比較圖書館學」一詞在我國最早由程伯群先生於民國24年所採用。遷臺後,嚴文郁教授(民68)將英文"Comparative librarianship"一詞譯為比較圖書館學。英文名稱除了採用"Comparative librarianship"之外,還有採用"Comparative library science"(Harvey, 1973)。

在西方，"Comparative librarianship"一詞最早是由戴恩（Dane, 1954b）在他所發表的兩篇文章中提出（Simsova & MacKee, 1975）。自從戴恩提出比較圖書館學一詞之後，在往後的十年中，未有其他人士提到此一專有名詞。直到1964年福斯凱特（D. J. Foskett）在美國密西根大學的一場演講中再度提到比較圖書館學。

福斯凱特之外，蕭爾斯（Shores, 1966）也對比較圖書館學下定義。1970年代對此學科的研究達到高峰，主要有五位：柯林茲（Collings, 1971）、丹頓（Danton, 1973）、哈維（Harvey, 1973）、辛索瓦（Simsova, 1974）與帕克爾（Parker, 1974）。1980年代，歐美各國對此學科的研究已逐漸走下坡，主要有王秦（Wang, 1985）。此外，中國大陸正好相反，1980年代對比較圖書館學的研究在此時期達到高峰，如：倪波、荀昌榮（1981）、陳傳夫（1983）、吳慰慈（1987）等人。此外，哈羅茲圖書館員詞彙（Harrod's librarians' glossary）及大陸周文駿、邵獻圖主編（1991）的《圖書館學情報學詞典》對比較圖書館學下的定義也一併提供參考。以上的定義依其年代先後順序敘述於後。

1. 程伯群（民24）對比較圖書館下的定義：

中西各有所長，取名比較圖書館學，所以示其綱領而作綜合之比較，以爲研究圖書館學之門徑（倪波、荀昌榮，1981）。

2.**戴恩**（Dane, 1954a：16）**的定義是：**

> 比較圖書館學是研究許多國家之發展，以發現那些發展是
> 成功的，且可爲其他國家所仿效。它是從國際觀點來檢視
> 圖書館事業的哲學與政策，以決定長期趨向，評估其缺
> 失，並查出理論和實務之間的矛盾與不一致。正如比較人
> 類學、比較宗教，比較圖書館學是尋求擴展我們的容忍及
> 加深我們的了解。它是向國際圖書館合作的第一步（傅雅秀
> ，民81）。

3.**福斯凱特**（Foskett, 1965：298, 295）**的定義是：**

> 比較圖書館學主要的價值在於使用科學的方法，以供圖書
> 館專業的進展…蒐集資料、觀察現有系統、評量某些假設
> 或實際情況，以供參考（Simsova & Mackee, 1975：16—
> 17）。

4.**蕭爾斯**（Shores, 1966）**的定義是：**

> 比較圖書館學是研究與比較世界上所有不同國家的圖書館
> 理論與實務，其目的在擴展並深入了解專業問題及解決之
> 道（傅雅秀，民81）。

5.**柯林茲**（Collings, 1971：492）**的定義：**

比較圖書館學可定義爲有系統地分析在不同環境下（通常在不同的國家）圖書館的發展、實務、或問題，考慮其相關的歷史、地理、政治、經濟、社會、文化及其他決定性的背景因素。尤其重要的是，它採用重要的方法來研究圖書館發展的因果，以及了解圖書館的問題（傅雅秀，民81）。

6.**丹頓**（Danton, 1973）**認爲比較圖書館學包括三個要素：**
  (1)　眞正的比較、並列且分析相似的現象；
  (2)　跨國家、跨社會、或跨文化之要素；
  (3)　對觀察到的差異作解釋。

基於以上三項要素，丹頓對比較圖書館學所下的定義是：

從社會、政治、經濟、文化、意識型態和歷史的觀點，分析二個或多個國家、文化或社會環境之圖書館、圖書館系統和圖書館事業。此種分析之目的，是爲了解其異同處，對不同的解釋，得到一般通則（傅雅秀，民81）。

7.**哈維**（Harvey, 1973）**對比較圖書館學所下的定義：**

是一個別及明確的領域，針對兩個或以上國家的某一主題，客觀與有系統的比較和對比，以達成結論，並有助於了解。

8.**辛索瓦**（ Simsova, 1974 ）**的定義是：**

> 比較圖書館學是以圖書館事業中一切可比較的事物爲研究
> 內容的一門學科。比較方法是比較圖書館學領域裏的重要
> 組成部份。因此，比較圖書館學在過去一直被視爲一種方
> 法、一種認識事務的途徑，而未被看作是一門學科（傅雅
> 秀，民81）。

9.**帕克爾**（ Parker, 1974 ）**的定義是：**

> 比較的方法是國際圖書館事業重要的工具，所謂國際圖書
> 館學是指兩個以上國家的政府或非政府的機構、組織、團
> 體或個人之間所進行的活動，用以提昇、建立、發展、維
> 護和評鑑世界上任何地區圖書館、文獻中心和相關服務，
> 以及全體圖書館學與圖書館事業（傅雅秀，民81）。

10.**倪波、荀昌榮**（ 1981 ）**的定義是：**

> 比較圖書館學就是對不同國家的圖書館事業和圖書館學，
> 比較其異同、追溯其淵源、探究其原因，以爲借鑒。比較
> 圖書館學從某種意義上來說實際上是研究圖書館事業和理
> 論的方法。

11.**陳傳夫**（ 1983：33 ）**針對中國的多民族、多語言、城市農
村差異大、地理差異大等特點，提出中國式比較圖書館**

學，其定義爲：

> 通過比較不同環境下、不同類型圖書館而達到使中國圖書
> 館事業和工作更能符合科學管理標準的要求，並在這個基
> 礎上，達到促進國際圖書館發展的共同目的。

12. 王秦（Wang, 1985：109）對比較圖書館學的定義：

(1) 比較圖書館事業涉及兩個或以上國家、文化、或社會的
環境；
(2) 包括可比較性的比較研究；
(3) 包括圖書館事業在各種不同環境下，透過哲學或理論的
概念，分析其相同或相異之處。

13. 吳慰慈（1987）認爲比較圖書館學具有三項特徵：

(1) 跨國性：研究兩個或兩個以上國家的圖書館事業。同
時，它是跨文化的，即研究不同文化的國家的圖書館事
業。
(2) 跨學科性：研究比較圖書館學時，首先必須對比較對象
國的經濟、政治和科學文化教育的狀況有充分的理解。
(3) 可比性：對兩個以上國家的同一個圖書館事業發展中的
問題進行比較。

14. 哈羅茲圖書館員詞彙（Prytherch, 1990：153）的定義：

不同國家間圖書館服務的研究，反映出各國家、文化、政
治或社會環境間的差異。透過比較分析，對各國圖書館事
業的相同或相異之處有較充分的了解及成熟的考慮。

15. **周文駿、邵獻圖**（ 1991：27—28 ）**對比較圖書館學的定
義：**

是以世界各國的圖書館事業爲研究對象，從社會政治、經
濟、文化、思想和歷史的角度出發，對兩個或以上國家的
圖書館、圖書館體制、圖書館事業發展的經驗或問題進行
比較研究、了解、掌握其共同和差異點，並對這些差異作
出科學的解釋，從而得出正確發展圖書館事業的準則。比
較圖書館學以調查研究爲主要的方法，以探索各國、各地
區圖書館事業的發展規律、特點以及國際圖書館事業的協
作爲主要目標。

　　以上各種比較圖書館學的定義所跨越的年代從民國24年（
1935 ）到 1991 年，已超過半個世紀。從最初程伯群先生所提出
比較圖書館學的名稱，到1950 年代戴恩對該學科描述較具體的
研究範圍。戴恩爲此學科所下的定義，具有里程碑的價值。到了
1960 年代，福斯凱特、蕭爾斯等人相繼投入此學科的研究，讓
此學科逐漸成爲圖書館學研究的一個分支學科。1970 年代，柯
林茲、丹頓、哈維、辛索瓦、帕克爾等人都係此學科研究者中的
佼佼者，由於這些人的投入研究，從而奠定比較圖書館學明確的

定義。1980 年代以後，歐美等國對此學科的定義較少有爭議，大都延襲以往的定義，較少有創新（蕭力，1989）。

辛索瓦（S. Simsova）與麥基（M. MacKee）在比較圖書館學手冊（A handbook of comparative librarianship）一書中，對比較圖書館學的定義歸納爲三項重點：

(1) 比較圖書館學對於文化轉借（Cultural borrowing）是一實際、有用的工具；

(2) 比較方法可視爲一種工具，將有關圖書館事業的資料（思想）整理得較有條理；

(3) 包含國際化（Internationalism）的要素（Simsova & McKee，1975：18—19）。

綜合以上各家所下的定義，歸納比較圖書館學的定義爲：

> 研究兩個或以上國家（地區、文化實體）的圖書館事業，選擇可供比較的事物爲研究的項目，經由敘述、解釋、並列、比較等過程，研究其相同或相異之處，以供參考及借鑑。

國內臺灣大學圖書館學研究所兩位研究生所做的研究即屬於比較圖書館學，如下：

(1) 陳敏珍（民79）**美國圖書館學會與英國圖書館學會對圖書館事業發展之比較研究**　臺北市：漢美圖書公司（民國77年完成碩士論文）。

(2) 李淑玲（民79）**美英兩國國家圖書館之比較研究**　臺北市：漢美圖書公司（民國75年完成碩士論文）。

五、國際與比較圖書館學（International and comparative librarianship）

克雷茲（Krzys，1974；1983）將國際圖書館學與比較圖書館學兩者合併，提出「國際與比較圖書館學研究」，定義為：

> 探討國際上、跨國家或跨文化的圖書館現象，經由解釋、預測和控制來加深圖書館學，最後由全世界圖書館實務之變項之比較，而增進圖書館事業的發展（徐金芬，民79；傅雅秀，民81）。

此一定義係以研究國際圖書館學為主，而以比較圖書館學為方法，透過比較的過程，以增進國際間圖書館事業之了解。大陸的圖書館文獻亦有以「國際圖書館學與比較圖書館學」為篇名（林瑟菲，1988）。又如英國圖書館學會附設的「國際與比較圖書館學小組」（International and Comparative Librarianship Group）也是以國際與比較圖書館學為名稱。

六、比較與國際圖書館學（Comparative and international library science）

上述第五種專有名詞是「國際與比較圖書館學」，然而有些學者卻將國際圖書館與比較圖書館兩者倒置，成為「比較圖書館學與國際圖書館學」，可簡稱為：「比較與國際圖書館學」。例如，哈維（J. F. Harvey）在1977年編輯的專書即命名為 "Comparative & international library science"（比較與國際圖書館學）。國內徐金芬（民78、民79）與傅雅秀（民81）都將其發表的文章以「比較與國際圖書館學」爲篇名。辛索瓦（S. Simsova）與麥基（M. MacKee）認爲如採用「比較與國際圖書館學」名稱，將包括下列幾種項目：

(1) 資料蒐集、參觀研究（Study tours）、實地工作（Field work）；

(2) 書目活動（Bibliographical activities）、文獻調查、文獻（Documentation）、翻譯；

(3) 研究、出版；

(4) 國際活動、合作、協助發展中國家、國際了解；

(5) 將比較圖書館學視爲一個學科、方法論（Simsova & MacKee, 1975：19）。

　　針對以上第五個名稱「國際與比較圖書館學」及第六個名稱「比較與國際圖書館學」兩者而言，兩者的著重點不同，前者是以國際圖書館學爲研究的範圍，涵蓋面較廣，其中包括世界各國的圖書館事業都在其研究的範疇，而其中研究的主題可以是單一國家的外國圖書館事業之敘述，或是兩個或以上國家（地區）圖書館事業的比較。後者是以比較圖書館學爲主，而以國際圖書館學爲輔，亦即較偏重學術性的研究。由於比較時務必涉及兩國或以上，如以單一國家圖書館事業之介紹則不宜包括在內。福斯凱特（Foskett, 1979：18）認爲比較圖書館學是一種針對實際問題做研究的方法，對教與學都十分困難，如學習者未具備基本的知識，驟然實施比較研究，對學習者而言，將造成傷害。因而福凱斯特（1979：18）認爲教授這方面課程之前，首先介紹國際圖書館事業爲宜。以福氏的觀點而言，認爲學習的順序應以國際圖書館學優先，如行有餘力，再從事比較的研究。

第二節 研究範圍

關於比較圖書館學的研究範圍，有多位學者提出不同的看法，如柯林茲（D. G. Collings）、克雷茲（R. Krzys）與李頓（G. Litton）、王秦（C. Wang）及庫麥（P.S.G. Kumar）等人。此外，倪波、荀昌榮主編的《理論圖書館學教程》、陳傳夫也提出比較圖書館學研究範圍的看法，依年代順序分述於後。

一、柯 林 茲（D. G. Collings）

柯林茲（Collings, 1971：492─3）認為比較圖書館學的研究範圍是：

1.比較圖書館學並非圖書館史

比較圖書館學經常使用歷史的數據，但並非是研究圖書館史，而是提供較清晰的圖書館現況的問題，以及圖書館發展的歷程。對於此點，丹頓（Danton, 1973）也贊同柯林茲的看法，反對將歷史的比較包括在比較圖書館學內。福斯凱特（D. J. Foskett）更提出歷史學家與比較圖書館學家之間的差異，他指出歷史學家是研究過去，以尋求目前的鎖鑰；而比較圖書館學家是尋求在某一社會情況的發展模式，以評量此模式和其他模式間的相同和相異之處（Simsova, 1982）。

2.比較圖書館學包括國際圖書館學

比較圖書館學爲求了解不同國家的圖書館事業，因而需研究國際圖書館事業及合作。

二、倪波、荀昌榮

倪波、荀昌榮（1981：305）所編的《理論圖書館學教程》一書中將比較圖書館學的研究範圍分爲縱向和橫向兩類的比較，分述於下：

1. 縱向比較：是判斷繼承、吸取其經驗和教訓，因而縱向是歷史性研究。

2. 橫向比較：從各國、各民族、各區域的相互影響中，接受什麼，學習什麼，因而橫向是共時性研究。

一個國家的圖書館活動通常是處於縱的連續的歷史傳統，而同時又處於橫的與其他國家、地區、民族圖書館活動的交流、相互影響之中。以上縱向的比較，即垂直比較（Vertical comparison），也就是時間的比較；而橫向比較即水平比較（Horizontal comparison），也就是空間的比較（徐南號，民80，頁4）。縱向和橫向研究都屬於比較圖書館學研究的範圍。

三、克雷茲（R. Krzys）與李頓（G. Litton）

克雷茲與李頓（Krzys & Litton, 1983）對國際圖書館學與比較圖書館的範圍，見圖1.1。

克雷茲與李頓將國際圖書館學與比較圖書館學合併，再區分兩者的研究範圍，兩者的研究對象都與世界圖書館事業有關，而世界圖書館事業包括：澳洲、紐西蘭、美國、歐洲、非洲、亞洲等地的圖書館事業。

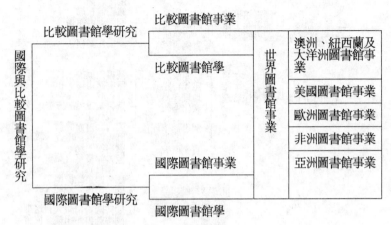

圖1.1: 國際圖書館學與比較圖書館學(Krzys & Litton, 1983:4)

四、陳 傳 夫

　　陳傳夫（1983）認爲比較圖書學所包括的範圍有三大部分：橫向研究（跨國研究）、縱向研究（國內研究）及綜合研究，詳見圖1.2。

五、王　　秦（C. Wang）

　　王秦（1985）對於國際圖書館學、外國圖書館學、國際機構圖書館學及比較圖書館學四者的關係，王秦以圖1.3表示。

　　從圖1.3可看出，國際圖書館學的範圍最爲廣泛，包括三個領域：外國圖書館學、國際機構圖書館學及比較圖書館學。在外國圖書館學之下，再區分爲四個研究項目：地區圖書館研究、圖書館個案研究、系統化圖書館研究及主題趨向圖書館研究。

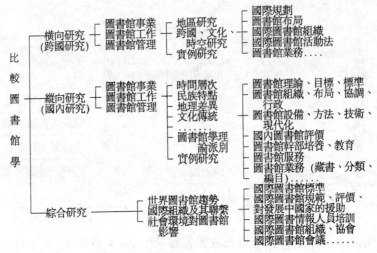

圖1.2: 比較圖書館學範圍 (陳傳夫，1983:37)

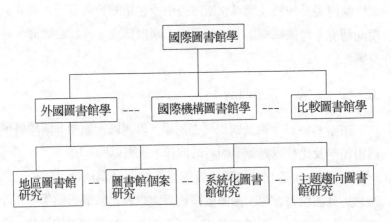

圖1.3: 國際圖書館學、外國圖書館學、國際機構圖書館學與比較

圖書館學之關係（Wang, 1985:109）

六、庫　　麥（P. S. G Kumar）

庫麥（Kumar，1987）認爲比較圖書館學的研究範圍包括：
圖書館服務質的改變與圖書館服務量的改變兩種，見表1.1。

表1.1：比較圖書館學研究範圍

項　目	研　究　範　圍
圖書館服務質的改變	圖書館情況的比較，包括： 1. 發展 2. 作業 3. 特質
圖書館服務量的改變	不同地區圖書館事業及圖書館發展的比較： 1. 圖書館發展的比率與階段 2. 因素 3. 圖書館發展與改進的主要障礙

　　從表1.1可看出質的改變與量的改變各有三個項目，但實際
上卻很難加以區分，如質的部分，三個項目：「發展」、「作
業」、「特質」如何比較兩所圖書館在這三個項目那一所圖書館
的質較佳，而另外一所的質較差？所根據的標準爲何？實難有客
觀的標準。至於量的部分，「因素」、與「圖書館發展與改進的
主要障礙」這兩個項目，如何以量的角度加以比較？因而筆者以
爲如要以質、量來做爲比較的項目，尚需研究訂定較具體、客觀
的標準做爲比較的依據。從以上六者有關比較圖書館學的範圍，
見表1.2。

　　從表1.2可看出比較圖書館學的研究範疇有六種不同的看
法，其中三者的看法相當分歧，即：

　　1.柯林茲：比較圖書館學包括國際圖書館學；

表1.2: 比較圖書館學研究範圍一覽表

學者 (年代)	研 究 範 疇
柯林茲 (1971)	比較圖書館學包括國際圖書館學
倪波、 荀昌榮 (1981)	縱向比較 (歷史性研究) 與橫向比較 (國際性研究)
克雷茲與 李頓 (1983)	將國際圖書館學與比較圖書館學並列
陳傳夫 (1983)	橫向研究 (跨國研究)、縱向研究(國內研究)、綜合研究
王秦 (1985)	國際圖書館學包括比較圖書館學
庫麥 (1987)	圖書館服務質的改變與量的改變

2. 克雷茲與李頓：國際圖書館學與比較圖書館學並列；

3. 王秦：國際圖書館學包括比較圖書館學。

究竟比較圖書館學包括國際圖書館學或是國際圖書館學包括比較圖書館學，將於第四節中說明。另外，倪波、荀昌榮（1981）與陳傳夫（1983）都提出橫向與縱向的研究，其中橫向都係指跨國間的研究，但縱向的研究定義卻不同，前者是指歷史性研究；後者是指國內研究。

第三節 目　的

本節將描述比較圖書館學的目的，有多位學者敘述比較圖書館學的目的，如：戴恩（Dane, 1954a）、柯林茲（Collings, 1971）、丹頓（Danton, 1973）、王秦（Wang, 1985）與吳慰慈（1987）。本節將依各學者發表的年代先後順序敘述於下。

一、戴　恩（ C. Dane ）

戴恩（ Dane, 1954a ）認爲比較圖書館學的目的是：

> 發現那些因素是某些國家所共有的，那些是某一國家所特
> 有的。它是以國際範圍對圖書館原理和方針的評價，藉以
> 確定長遠的趨勢，鑑定其缺失，揭示實踐與理論之間的矛
> 盾和脫節（龔厚澤，1980 ）。

二、柯林茲（ D. G. Collings ）

柯林茲（ Collings, 1971：493－4 ）認爲比較圖書館學的目
的有：

1. 當本國或外國制訂新的圖書館計畫時，可提供指導；
2. 提供批評性分析及對圖書館問題的解決方案；
3. 鼓勵並協助明智的思考及對某些問題的解決提供解決方
   案，同時避免盲目模仿；
4. 提供背景資料，供赴國外圖書館工作、參觀學習、協商和
   援助計畫之用；
5. 推動各國間圖書館資料與資訊的交流；
6. 透過考察各種不同文化環境的圖書館發展情況和問題，加
   強國內、外學生圖書館教育和訓練的學術內容和實際聯
   繫；
7. 增進國際間了解，並促進圖書館規劃和發展廣泛而有效的
   合作（龔厚澤，1980 ）。

三、丹 頓（J. P. Danton）

丹頓（Danton, 1973）認為比較圖書館學的目的有：

1. 發現、解釋兩個或更多社會同類圖書館情況間的差異；
2. 研究關於經過挑選的國家圖書館「體制」之發展和地位的現有材料，以及關於這些國家圖書館問題的現有材料；
3. 將這種發展和地位與歷史、社會、經濟、政治、地理等有關因素聯繫起來；
4. 對圖書館問題之分析和解決有所貢獻；
5. 協助圖書館計畫；
6. 促進吸取和移植更好的作法和技術；
7. 為國外工作和學習課題提供有用的資料；
8. 增強圖書館教育計畫的內容；
9. 為研究者對本國圖書館體制和圖書館問題獲得全面估計和更深入的認識；
10. 協助發展圖書館體制及問題的比較研究的材料和技術；
11. 協助推進圖書館發展中更好的國際了解和合作；
12. 指出國內外那些領域需要更進一步發展和進一步研究；
13. 提供關於外國圖書館學及比較方法和技術的基本資料（龔厚澤譯，1980）。

四、王 秦（C. Wang）

王秦（Wang, 1985：110—111）認為比較圖書館學的目的有下列幾項：

1. 透過檢視，以徹底了解及正確的解釋圖書館的系統或問題；

2. 提供本國或國外對於某一新圖書館計畫的指引；

3. 提供圖書館問題的批評性分析及解答；

4. 鼓勵及協助對某些地區圖書館問題所做的判斷性考慮與可能的改善，並針對這些問題提供解答；

5. 提供到國外參觀或服務的背景資訊；

6. 加強圖書館教育與訓練的學術內容與實務關係；

7. 提供進一步對國際的了解與合作；

8. 蒐集所觀察現象的知識；

9. 培養自由交換的觀念；

10. 促進世界各國之間的和平與了解；

11. 發展有用的策略、原則、或原理，以達到徹底了解；

12. 形成泛圖書館學，即世界圖書館事業哲學與理論之實施。

五、吳慰慈

吳慰慈（1987：16）將比較圖書館學的目的歸納為三項：

1. 報導－描述的目的

提供各國發展圖書館事業的資訊，並按專題將事實加以分類，事實的報導與描述。

2. 歷史－功能的目的

比較圖書館學不僅要描述事實，而且要說明特徵。不應把圖書館事業作為孤立存在的事業來看待，而應與國家的經濟、政治、科學、文化、教育和背景因素結合起來研究，指出圖書館在具體社會中的功能。

3.借鑑─改善的目的

通過比較分析，不僅使我們對世界各國圖書館事業的特定條件和發展過程有明確的認識，更重要的是使我們對本國圖書館事業與國外圖書館事業的種種區別和差距有深刻的認識，進而達到借鑑和改善的目的。

柯林茲、丹頓和王秦對比較圖書館學的目的是採列舉式，而吳慰慈是採歸納的方式。由吳慰慈所歸納的目的，可清楚的知道比較圖書館學的目的有三項：1.報導─描述的目的，透過對各國圖書館事業的敘述，可了解各國圖書館事業的發展現況。例如，對美國圖書館事業的報導、對英國圖書館館際合作制度的了解等。2.歷史─功能的目的，指出圖書館事業在各國的各種功能，3.借鑑─改善的目的，透過對其他國家圖書館制度的了解，思考是否有值得引用之處，以改善本國的圖書館事業，即所謂「他山之石，可以攻錯。」

第四節　爭　　議

比較圖書館學雖已發展四十年的歷史，但仍是一門新興的學科。與此學科有關的爭議如：比較圖書館學和國際圖書館學如何區分？比較圖書館學是研究方法或是一門學科？以及是否有國家（地區）之限制？等問題，分述於後。

一、比較圖書館學與國際圖書館學如何區分？

比較圖書館學與國際圖書館學兩者之間很難加以區分，如在第二節中談及範圍，即有不同的看法，如下：

—柯林茲認為比較圖書館學包括國際圖書館學；

—克雷茲與李頓將國際圖書館學與比較圖書館學兩者合併；

—王秦認為國際圖書館學包括比較圖書館學。

以上三者竟然有三種截然不同的看法，庫麥（Kumar, 1987：6）認為兩者雖然主題相似，但仍有不同，相異處如下：

(1) 比較圖書館學不需研究不同的國家（雖然通常是）；國際圖書館學則需研究不同國家圖書館之情況。

(2) 比較圖書館學是個古老的觀念；國際圖書館學則相當新。

(3) 比較圖書館學主要是在圖書館發展中尋求因果關係；國際圖書館學則是促進國際間了解和合作之方法。

庫麥認為比較圖書館學是以古老的觀念，筆者不以為然。試以其他學科為例，如比較教育、比較文學、比較政府、比較法律等學科至今仍為研究的課題，何以比較圖書館學才發展四十年就已成為一古老的觀念？

另外，傑克森（Jackson, 1982）對比較圖書館學和國際圖書館學的區別，有下列的看法：

> 比較圖書館學和國際圖書館學沒有主從關係，是不同名詞。比較圖書館學是一種跨文化之研究，不一定是國際圖書館學。國際圖書館學只限於超越國界之圖書館事業，不包括比較，而包含館員交換、圖書交換、構想交換及不同國家之圖書館系統。比較採用嚴密的質與量的研究方法，必須是實際的、有用的，而不只是具有學術上的重要性而已（傅雅秀，民81）。

　　從以上學者對比較圖書館學與國際圖書館學的看法，可看出兩者混淆情況，並不單是在圖書館學中才有此現象，在其他學科也同樣有此情形發生。例如，比較教育（Comparative education）與國際教育（International education）也有同樣的情形發生。佛瑞塞（S. E. Fraser）嘗試區別國際教育與比較教育，如下：

　　　　國際教育與比較教育兩個名稱是相關的，但是兩者強調的
　　　　重點不同。國際教育係指兩個或以上國家的個別或團體的
　　　　各類關係，如：知識、文化、教育等……比較教育則不
　　　　同，是指兩個或以上國家教育系統及問題的分析，包括：
　　　　社會—政治、經濟、文化、意識型態及其他（Fraser &
　　　　Brickman, 1968：2）。

　　比較圖書館學與比較教育學兩個學科領域十分接近，以國內出版的比較教育學的專書為例，如：林清江等著（民76）《比較教育》、吳文侃、楊漢清主編（民81）《比較教育學》等書，在進行各國的教育制度之前，先描述國際上各國的教育制度，再以各種教育制度分別比較各國的異同。比較圖書館學亦然，在進行各國圖書館事業比較之前，先決的條件是了解各國的圖書館事業。

　　國際圖書館學是以跨國家、跨地區的圖書館事業為研究範圍，主要以國際合作、了解和交流的各種方式。比較圖書館學是針對兩個或以上國家（地區）圖書館事業範疇中選擇若干項目進行比較。在比較之前，對這些國家的圖書館事業的背景及相關資

料都需先行了解，而在了解的過程即屬於廣義的國際圖書館學。

由以上的敘述，對於比較圖書館學與國際圖書館學兩者是否有所區別，筆者認為有下列的差異：

1.國際圖書館學是比較圖書館學研究過程中重要的步驟

即從事比較圖書館的研究過程中，首先務需了解比較國家的圖書館事業，而了解各國圖書館事業即屬於廣泛的國際圖書館學的範疇。例如，參觀某一國家的圖書館，之後寫出一篇報導性的文章，即屬於國際圖書館學，但不屬於比較圖書館學。

2.比較圖書館學以「比較研究法」為主要的研究方法，而國際圖書館學並未有明確的研究方法

比較圖書館學的研究方法相當明確，在第二章中有詳細的說明，而國際圖書館學以敘述各國圖書館事業為主，卻未有明確的研究方法。例如，為研究某一圖書館學範圍的課題，以兩個國家的圖書館事業為研究的對象，並以科學的方法蒐集資料、解釋資料的內容、將資料並列分析、最後加以比較其異同。這種研究很明顯可歸類為比較的研究。

二、比較圖書館學是一門學科或是一種研究方法？

對於比較圖書館學究竟是一門學科或是一種研究方法，有三種不同的看法，分述於後：

1.比較圖書館學是一門學科

有的學者認為比較圖書館學是一門學科，如辛索瓦（S. Simsova），隸屬於圖書館學的大範疇之下。

2.比較圖書館學是一種研究方法

有的學者不認為比較圖書館學是一門學科，而只是一種研究

方法，如柯林茲（D. G. Collings）。這類學者認爲比較圖書館學研究不具有學科研究的性質，只屬於圖書館學研究方法論中的一種方法。另有些學者原則上同意上述的看法，但認爲比較的方法不是圖書館學研究中的唯一的方法，還必須使用其他多種方法（蕭力，1989）。

3. 比較圖書館學既是一門學科，又是一種研究方法

這是折衷的看法，一方面認爲比較圖書館學是一門獨立的分支學科；一方面又強調它是一種研究方法（蕭力，1989）。

1975 年，辛索瓦曾針對以上的爭議做調查，調查的對象爲英國圖書館學校及學會的負責人、美國哥倫比亞大學國際與比較圖書館學中心委員會委員，及 Focus on International & Comparative Librarianship 刊物的編輯與作者。兩次調查的結果顯示，第一次的調查是主張方法論與學科論兩者相當；第二次的調查則以學科派獲較多人的支持（蕭力，1989）。

筆者較同意辛索瓦及1975 年第二次調查多數學者的看法，可將比較圖書館學視爲圖書館學這個大範疇之下的一個分支學科。其他學科的比較，如：比較教育、比較法律、比較文學等都隸屬於教育、法律與文學研究的領域。以此類推，比較圖書館學也可視爲在圖書館學這個大領域中的一個分支學科。

三、比較圖書館學是否有國家（地區）之限制？

比較圖書館學的研究多以兩國或以上的圖書館事業爲研究對象，例如：「法國和英國巡迴圖書車在鄉村地區的使用」是研究英國與法國，即跨國的比較（Cross—national comparison）。

辛索瓦（Simsova, 1982）認爲比較的地理區域（

Geographical areas）並非只限於一個國家，如一個國家的兩個地區，或是同樣一個地區的兩個鄉鎮都可做比較。如以初學者而言，辛索瓦認爲以不同國家做比較較容易指出兩國間的差異性。然而，比較的方法是可運用於任何不同大小的地理區域。有一種可能是研究同一地區的兩個不同文化環境，例如：「馬來西亞地區的回教與基督教圖書館」，或是「美國加州地區的華人與日本人的閱讀需求的比較」。兩種不同文化之間的比較稱之爲「跨文化的比較」（Cross—cultural comparison）（Simsova, 1982）。

筆者同意辛索瓦的看法，比較圖書館學的研究不應有國家的限制，即不應限於兩個國家（地區）的比較，在一個國家（地區）也可做比較。至於是否合適以一國之內的圖書館事業做比較，或是以跨國間做比較，主要需視比較的題目而定。例如，有的題目以美國地區不同種族的閱讀習慣做研究，研究的區域是以一個國家爲範圍，以美國的領土而言，這個題目適合做研究。其他國家如領土較廣者，如俄羅斯、加拿大、中國大陸等，也適合做類似的研究。另外，有的研究是以不同國家的公共圖書館體制爲研究題目，因而勢必做跨國的研究。

第五節　結　語

總結以上四節的敍述，第一節分別就與比較圖書館學有關術語給予定義，雖然相關的術語有：外國圖書館學、國際圖書館學、世界圖書館學、泛圖書館學、國際機構圖書館學、比較圖書館學、國際與比較圖書館學、比較與國際圖書館學等，本節就各術語的定義，歸納爲國際圖書館學（外國圖書館學、世界圖書館

學、泛圖書館學、國際機構圖書館學等都包括在內）、比較圖書
館學及兩者合併而成爲國際與比較圖書館學或是比較與國際圖書
館學等三個大的範疇。如以「國際與比較圖書館學」與「比較與
國際圖書館學」兩個名稱而言，筆者較同意前者，由於前者包括
的範圍較後者來得廣泛。第二節中探討比較圖書館學的範圍，列
出五種不同的看法。第三節是有關比較圖書館學的目的，筆者較
同意吳慰慈將目的歸納爲三種，即：報導—描述的目的；歷史—
功能的目的；與借鑑—改善的目的。第四節有關比較圖書館學的
爭議主要有三個，筆者都嘗試尋求合理的解答。

參 考 書 目

李志鍾（民61）**美國圖書館業務**　臺北市：遠東圖書。

李淑玲（民79）**美英兩國國家圖書館之比較研究**　臺北市：漢美圖
　　書公司。

吳文侃、楊漢清主編（民81）**比較教育學**　臺北市：五南。

吳慰慈（1987）「論比較圖書館學的特徵、目的、內容、和方法」
　　大學圖書館通訊　1：14—19。

林清江等著（民76）**比較教育**　4版　台北市：五南

林瑟菲（1989）「國際圖書館學與比較圖書館學」**圖書館工作與
　　研究**　1：22—25。

周文駿、邵獻圖編（1991）**圖書館學情報學詞典**　北京：書目文
　　獻出版社。

倪波、荀昌榮編（1981）「比較圖書館學」在：**理論圖書館學教
　　程**　天津：南開大學出版社　頁301—330。

徐金芬（民78）「比較與國際圖書館學英文期刊選介」**圖書館學
　　與資訊科學**　15(2)：215—220。

徐金芬（民79）「比較與國際圖書館學研究方法之探討」**圖書館
　　學與資訊科學**　16(1)：60—79。

徐南號譯（民80）沖原豐著「比較教育學的研究方法」在：**比較教
　　育學**　臺北市：水牛頁107—125。

郭成棠（民69）**美國圖書館事業的成就和趨勢**　臺北市：淡江學院
　　出版部。

陳傳夫（1983）「倡導創立中國式的比較圖書館學理論」圖書館
　　研究　5：32—38。

陳敏珍（民79）**美國圖書館學會與英國圖書館學會對圖書館事業
　　發展之比較研究**　臺北市：漢美圖書公司。

黃端儀著（民71）**國際重要圖書館的歷史和現況**　臺北市：臺灣學
　　生。

傅雅秀（民81）「比較與國際圖書館學概說」**國立中央圖書館館
　　刊**　新25(2)：3—22。

程伯群（民24）**比較圖書館學**　上海：世界書局。

蕭力（1989）「比較圖書館學研究現狀綜述」**大學圖書館學報**
　　2：28—35。

蕭永英（1986）「試論比較圖書館學的目的和意義」**圖書館**　5：
　　18—22。

薛理桂（民82）**英國圖書館事業綜論**　臺北市：文華圖書館管理資
　　訊公司。

嚴文郁（民68）「論比較圖書館學」**輔仁大學耕書集**　68年10月
　　29日.

龔厚澤譯 (1980) J. P. Danton 著　**比較圖書館學概述**　北京市:書目文獻.

Collings, D. G. (1971) "Comparative librarianship." In: Kent, A. & Lancour, H. (eds.) *Encyclopedia of library & information science.* v.5 New York: Marcel Dekker, pp. 492-502.

Dane, C. (1954a)"Comparative librarianship." In: D. J. Foskett (ed.) (1976) *Reader in comparative librarianship.* Englewood, Colorado: Information Handling Services, pp.23-25.

Dane, C. (1954b) "Comparative librarianship" *Librarian.* 43 (8): 141-144.

Danton, J. P. (1973) *The dimensions of comparative librarianship. Chicago: ALA.*

Danton, J. P. (1977) "Definitions of comparative and international librarianship." In: J. F. Harvey (ed.) *Comparative and international librrary science.* Meteuchen: Scarecrow.

Foskett, D. J. (1965) "Comparative librarianship" *Lib. W.* 66(780): 295-298.

Foskett, D. J. (1965) "Comparative librarianship" *Progress in Library Science.* pp.125-146.

Foskett, D. J. (ed.) (1976) *Reader in comparative librarianship.* Colorado: Information Handling Services.

Foskett, D. J. (1979) "Palabras: a decade of comparisons." In: D. Burnett and E. E. Cumming (eds.) *International library and information programmes: proceedings of the tenth anniversary conference of the International and Compara-*

tive Librarianship Group of the Library Association. University of Loughborough, September 23rd-25th, 1977 London: Library Association, pp.8-19.

Fraser, S. E. & Brickman, W. W. (1968) *A history of international and comparative education.* Scott, Foresman & Co.

Harvey, J. F. (1973) "Toward a definition of international and comparative library science." *International Library Review.* 5 (3): 289-320.

Harvey, J. F. (ed.) (1977) *Comparative & international library science.* N.J.: Scarecrow Press.

Havard-Williams, P. (1972) "International librarianship." *Unesco Bulletin Lib.* 26(2):63-70.

Jackson, M. M. (1982) "Comparative librarianship and non-industrialized countries." *International Library Review.* 14(2):101-106.

Krzys, R., Litton, G. & Hewitt, A. (1983) *World librarianship: a comparative study.* New York: Marcel Dekker.

Krzys, R. & Litton, G. (1983) "World study in librarianship." In: R. Krzys, G. Litton & A. Hewitt (eds.) (1983) *World librarianship: a comparative study.* New York: Marcel Dekker, pp.3-26.

Kumar, P. S. G. (1987) Comparative librarianship: a theoretical approach. In: P. S. Kawatra (ed.) *Comparative and international librarianship.* New Delhi: Sterling Publishers, p.6.

Parker, J. S. (1974) "International librarianship - a reconnaissance. "*Journal of Librarianship.* 6:221.

Prytherch, R. (comp.) (1990) *Harrod's librarians' glossary: of terms used in librarianship, documentation and the book crafts and reference book.* 7th ed. Hants: Gower.

Qureshi, N. (1980) Comparative and international librarianship: an analytical approach. *Unesco Journal of Information, Librarianship and Archives Administration.* 2(1):22-28.

Shores, L. (1966) "Why comparative librarianship?" *Wilson Library Bulletin.* 41:200-206.

Sievanen-Allen, R. (1977) "Comparative librarianship: a Scandinavian view" *Focus on International and Comparative Librarianship.* 8:20.

Simsova, S. (1974) "Comparative librarianship as an academic subject." *Journal of Librarianship.* 6(2):115-125.

Simsova, S. & Mackee, M. (1975) *A handbook of comparative librarianship.* rev. ed. London: Linnet Books & Clive Bingley.

Simsova, S. (1982) *A primer of comparative librarianship.* London: Clive Bingley.

Wang, C. (1985) "A brief introduction to comparative librarianship ." *International Library Review.* 17:107-115.

第二章　發展歷史與研究現況

　　本章主要探討比較圖書館學的發展與各國的研究現況，第一節將敘述比較圖書館學的發展歷史；第二節針對西文相關文獻做分析；第三節各國研究情況，以美國、英國、我國及大陸四個地區為主；第四節專業學會；第五節有關刊物；第六節是結語。

第一節　發展歷史

　　牛津英文字典（Oxford English dictionary）（Murry，et al.，1989）所列的比較解剖學（Comparative anatomy）是始於1675年，但事實上猶早於此一年代。該學科早於1555年，由畢隆（Belon）所創，當時比較人類和鳥類的骨骸。除了比較解剖學之外，其他學術的比較研究發展年代，如：比較神話學（Comparative mythology）發展於1868年，比較神學（Comparative theology）於1872年，比較藝術史（Comparative art history）與比較語言學（Comparative philology）都於1882年（Simsova & MacKee，1975：13；Harvey，1973）。

　　比較解剖學、比較生物學、比較生化學等學科無法適用於比較圖書館學，由於比較圖書館學較接近於社會科學。此外，比較心理學應用自然歷史的方法，但以後的發展採用實驗與量化的方法。比較道德學（Ethics）、宗教、神學、語言學、文學、政治與政府等都使用比較的方法，其中比較政府、比較政治和比較圖書館學較爲接近（Simsova & MacKee，1975：13）。

在各種比較的學科中，和比較圖書館學最接近的學科要屬比較教育學。該學科已發展一百年以上，已有完善的研究方法，且可適用於比較圖書館學（Simsova & MacKee，1975：14）。丹頓（Danton，1973）認爲比較教育和比較圖書館學較爲接近，由於：

1. 教育學和圖書館學較接近；

2. 教育學界的比較學者近年來所致力的問題，正好與圖書館學界想解決問題有關。

由於比較圖書館學是一門較年輕的學科，因而可先由比較教育學著手，以了解其發展經驗及方法。

1960 年代以前，國際圖書館學界對純粹的比較研究還未留意，即系統的從兩個或兩個以上的國家、社會或文化收集圖書館資料並加以考察、綜合、及分辨其異同，以找出這些現象的原因。這方面的努力很少，或甚至沒有（Danton，1973）。

比較圖書館學研究的鼻祖在西方公推是戴恩（C. Dane），1954 年開始使用這個專有詞彙在其兩篇文章中。這兩篇文章分別是（Simsova & MacKee，1975）：

(1)Dane, C.（1954a）"Comparative librarianship" *Librarian* 43 (8)：141—144.

(2) Dane, C.（1954b）"The benefits of comparative librarianship" *Australian Library Journal.* 3(3)：89—91.

自從戴恩提出比較圖書館學一詞之後，在往後的十年中，未有其他人士提到此一專有名詞。直到 1964 福斯凱特（ D.J.

Foskett）在美國密西根大學的一場演講中再度提到比較圖書館學。這場演講的書面資料分別發表在兩種刊物上：

(1)Foskett, D. J. （1964）"Comparative librarianship" *Library World.* 66（780）：295－298.

(2)Foskett, D. J. （1965b）"Comparative librarianship" In：R. L. Collison （ed.）*Progress in Library Science.* London：Butterworth，pp.125－146.

1964 年以後，開始有追隨者對這一領域感興趣，如：

(1) White, C. M. （1964）*Bases of Modern Librarianship.* London：Pergamon Press.

(2)Sharify, N. and Piggford, R.R. （1965）"First institute on international comparative librarianship" *Pennsylv. Libr. Ass. Bull.* 21：73－80.

1970 年代對此學科的研究達到高峰，主要有五位學者對此學科較有研究：柯林茲（Collings，1971）、丹頓（Danton，1973）、哈維（Harvey，1973）、辛索瓦（Simsova，1974）與帕克爾（Parker，1974）。1980 年代，歐美各國對此學科的研究已逐漸走下坡，較少文章探討該學科的相關理論。以英國的情況而言，逐漸發展為以國際圖書館學為主，而其中包括比較圖書館學的研究，詳見第三節（二）。海峽兩岸的大陸及臺灣圖書館學者自1980 年代開始，對此學科產生興趣，詳見第三節（三、四）。

第二節　西文相關文獻分析

　　如前所述，比較圖書館學出現在西文的文獻最早自1954年
開始。1950－1960年的文獻分析顯示，1960年以前對於「比較
圖書館學」的研究僅止於萌芽階段。直到1961年以後，才開始
對這個領域有所研究。本節主要針對「圖書館與資訊科學摘
要」（Library and Information Science Abstract，簡稱LISA）的
文獻做分析。

　　（一）　1970年以前

　　LISA在1969年以前的刊名是「圖書館學摘要」（Library
Science Abstracts），在1950－1955及1956－1960的兩份五年
彙積本中，「比較圖書館學」（Librarianship, comparative）主
題下，各有一個款目。在1961－1965年的索引中，共計46個條
目，1966－1970年，共計59個條目（Danton，1973）。

　　（二）　1971－1980年

　　LISA在「比較圖書館學」（Comparative Librarianship）款
目下，查檢的篇數如下：
　　－1971年：12篇
　　－1972年：12篇
　　－1973年：27篇
　　－1974年：60篇
　　－1975年：117篇
　　－1976年：102篇
　　－1977年：124篇
　　－1978年：51篇

　　─1979年：18篇

　　─1980年：13篇

　　以上的篇數是以LISA的光碟版查檢，其中1975─1977年三年的篇數都在百篇以上，但其中有許多文獻是屬於國際圖書館學，亦即各國圖書館事業的介紹或是觀感（Viewpoints）。例如，其中有些文獻的篇名如下：

　　·哥倫比亞藝術圖書館及圖書館事業；

　　·美國圖書館自動化；

　　·西德圖書館教育；

　　·挪威公共圖書館；

　　·匈牙利訪問報告。

　　1971─1980這十年間對比較圖書館學的研究而言，可說是黃金時代，每一年有關此一課題的文獻都在十篇以上。

　　（三）　1981─1990年

　　1981年以後在LISA中將有關「比較圖書館學」（Comparative librarianship）的文獻，收錄以實際與此標目有關的文獻，而將以往與國際圖書館事業有關的文獻另立標目，不再混在一起。有關比較圖書館學在1981─1990十年間的文獻以光碟版LISA查檢，其結果及實例列舉於後。

　　─1981：6篇，都是屬於比較圖書館學的範疇，例如：

　　·加拿大與美、英圖書館學校教師比較；

　　·冰島與英國比較；

　　·瑞典與美國專業教育比較；

　　·西德與瑞士學校圖書館比較。

—1982：9篇

—1983：12篇

—1984：3篇

—1985：5篇，例如：

　·美俄兒童圖書館比較；

　·美俄圖書館事業專業教育比較。

—1986：2篇，例如：

　·新加坡與香港大學圖書館比較；

　·加拿大與英國大學圖書館比較。

—1987：5篇，例如：

　·丹麥與瑞典、荷蘭公共圖書館音樂收藏比較；

　·義大利與美國公共圖書館比較；

　·紐西蘭與挪威公共圖書館比較；

　·葡萄牙與英國專業圖書館比較。

—1988：6篇，例如：

　·安大略（Ontario）與西澳洲中學圖書館：比較及個人觀察；

　·三個圖書館學資料庫的線上比較（比較研究）；

　·研究圖書館展望（英國與法國的比較）；

　·1988年的法國圖書館（法國與美國美較）；

　·英國與美國公共圖書館的社會功能（俄文）；

　·圖書館學線上資料庫（比較研究）。

—1989：2篇，例如：

　·圖書館與資訊科學資料庫的索引品質（比較研究）；

　·徐金芬「比較與國際圖書館學英文期刊選介」。

—1990：6篇，例如：

- 康乃爾大學（美國）與里茲大學（英國）工程館藏的期刊 行政流程比較；
- 徐金芬「比較與國際圖書館學研究方法之探討」；
- 英國館際互借與文件傳遞；
- 挪威與瑞典學院圖書館比較；
- 圖書館學與哲學參考網路的比較分析：美國國會圖書館標 題10與12版（比較研究）；
- 圖書館與資訊科學及社會科學的選擇學科的博士學位比較 研究（比較研究）。

　　從以上十年所發表的文獻數量可看出，在此十年間發表與比 較圖書館學的文獻已明顯的減少。其中的原因之一是LISA對文 獻的歸類比較明確，將有關各國圖書館事業介紹或是觀感的文獻 另外歸類，不再歸入比較圖書館學。從以上所舉的篇名實例即可 看出。在此十年的文獻中，大都偏重於實際的比較研究，即兩個 或以上國家對於某一類型圖書館（如大學、公共、專門圖書館） 之比較。此外，在此十年的後期，另有「比較研究」（ Comparative studies）的標目，主要以圖書館與資訊科學領域中 的系統比較。至於比較圖書館學的理論已較少有文獻探討，似乎 意味著此學科的理論已較定型，以至於轉向實際的比較研究。

　　（四）　1991—1992

—1991：5篇，如：

- 加拿大與美國醫學圖書館網路比較；
- 轉變中的蘇聯圖書館（美俄圖書館的比較）；

　　・醫院圖書館員角色的轉變：加拿大與美國比較；
　　・資訊專業適當的形象：國際比較；
　　・國際圖書館事業：書目計量分析（博士論文）。
　─1992：2篇，如：
　　・醫學圖書館系統的使用：地理的分析；
　　・美國與捷克斯拉夫圖書館的比較。

　　1991年以後的兩年每年發表與比較圖書館學有關的文獻都在十篇之內，和1980年代相同也以兩國或以上不同類型圖書館、圖書館員、圖書館系統、圖書館教育等做比較。

　　以上自1950年代開始，在LISA中有關比較圖書館學的文獻發表，見表2.1。

第三節　各國研究情況

　　本節主要針對美國、英國、國內及大陸等四地對比較圖書館學及國際圖書館學的研究情況，其中美國部分主要針對有關課程的開設情況；另外英國、國內及大陸部分，將分為開設課程及相關的論著兩部分，分述於後。

一、美　　國

　　1956年，柯林茲（D. G. Collings）在哥倫比亞大學圖書館與資訊科學學院舉辦一個入門性的比較圖書館學研究班。1961年，丹頓（J. P. Danton）在加州大學圖書館學院博士班開設比較圖書館學專題研討（Qureshi，1980；黃學軍，1991b）。

表2.1: LISA 刊載有關比較圖書館學的文獻

年　　代	篇　　數	年　　代	篇　　數
1950–1955	1	1981	6
1956–1960	1	1982	9
1961–1965	46	1983	12
1966–1970	59	1984	3
1971	12	1985	5
1972	12	1986	2
1973	27	1987	5
1974	60	1988	6
1975	117	1989	2
1976	102	1990	6
1977	124	1991	5
1978	51	1992	2
1979	18		
1980	13		

* 1970 年以前 LISA 的文獻係以紙本式查檢，1971 年以後係以光
碟版檢索。

　　1963 年，有5 所圖書館學校開設比較圖書館學：加州大學柏
克萊分校、加州大學洛杉磯分校、芝加哥大學、哥倫比亞大學、
及威斯康辛大學（嚴文郁，民68）。1968 年，美國已有20 多所
圖書館學校開設比較圖書館學。1973 年，有45 所學校開設該課
程（Danton，1973）。1975 年開設此課程的學校已增至56

所（Boaz，1977；佟富，1989）。美國在此時期開設的比較圖書館學主要在研究所階段，屬於一個學期的課程，要求學生交一篇報告。有關美國圖書館學校開設比較圖書館學課程的大綱，有丹頓（J.P. Danton）及林瑟菲兩人提供課程大綱，參見附錄一至三。這時期開設的課程名稱大都稱爲「比較與國際圖書館學」（Comparative and International Library Science）（Boas，1977）。此外，試舉出四所圖書館學校開設比較圖書館學課程爲例：

1. 哥倫比亞大學（Columbia University）

該大學的圖書館服務學院（The School of Library Service）開設一學期的研究所課程，由柯林茲（D. G. Collings）擔任教師（Qureshi，1980），教學大綱是：「外國圖書館系統研究大綱」（Outline for the study of a foreign library system）。該學院開設此課程的目標是：

(1) 指引學生了解比較研究的概念及其方法論；

(2) 擴展專業的視野，並透過與其他國家圖書館的比較研究，從而對本國的圖書館系統有更佳的體認；

(3) 了解國際圖書館事業及國際合作（Boaz，1977）。

該學院開設該課程包括的內容有：

・比較圖書館學簡史；

・定義、專有名詞；

・方法論與比較研究方法；

・比較研究類型及資料來源；

・選擇性比較主題研究：國家圖書館、圖書館專業、立法、規劃、發展中圖書館事業、圖書館技術服務比較、資訊網路、及其他主題。

・國際圖書館學（Boaz，1977）。

2. 紐約州立大學（New York State University）

該大學的圖書館學系開設這類課程的目標是：

(1) 研究某些可取得資訊的選擇性國家的圖書館系統及問題；

(2) 對本國圖書館系統與問題有更進一步的了解；

(3) 協助對國際圖書館發展與合作有更進一步的了解。

該課程的內容包括：

・美國與國外圖書館現況及圖書館事業的比較；

・國際關係；

・當代圖書館資源與服務的現況；

・專業組織及國際機構的活動；

・世界各國識字情況；

・國外出版與資料發行；

・國家與國際書目問題；

・國家圖書館；

・發展中國家圖書館事業趨勢（Boaz，1977）。

3. 密西根大學（University of Michigan）

該大學的圖書館學系（The Department of Library Science）開設有關比較圖書館學的課程將視訪問學者而定，偶爾提供碩士階段課程。如1964年英國比較圖書館學者福斯凱特（D. J. Foskett）擔任該校訪問教授，開設比較圖書館與國際圖書館學（Simsova & Mackee，1975：61）。

4. 匹茲堡大學（University of Pittsburgh）

該大學的圖書館與資訊科學研究所（Graduate School of Library and Information Sciences）開設國際服務的課程，其目標爲：

(1) 分析圖書館、資訊及傳播科學的特質；

(2) 比較同一國家中圖書館、資訊及傳播的處理；

(3) 對上述三者在國際間的促進提供建議；

(4) 基於不同國家間的通則，建立比較圖書館學研究的原理；

(5) 促使美國及外國學生對國外的圖書館、資訊及傳播的了解，並進而運用到本國；

(6) 讓來自不同國度的學生有機會討論上述領域的經驗；

(7) 提供世界上某一國家或地區的圖書館、資訊或傳播專業的背景資訊（Boaz，1977）。

該研究所開設與國際圖書館及比較圖書館學有關的課程包括：

· 國際圖書館服務與資源（International Library Services and Resources）；

· 拉丁美洲書目（Latin American Bibliography）；

· 國際與比較圖書館學專題（Seminar in International and Comparative Librarianship）等（Qureshi，1980）。

1980年，美國已有60多所圖書館學校開設比較圖書館學或國際圖書館學（黃學軍，1991b）。雖然比較圖書館學的教學在美國圖書館學研究所已漸式微，但目前仍有博士班研究生的論文是與比較圖書館學的研究有關，例如：從 UMI（University Microfilms, Inc.）發行的博士論文摘要（Disseration Abstracts OnDisk）中查到 1992 年於密西根大學（University of Michigan）完成博士學位的Felicia Suila Kimo Lafon，其論文題目爲：「密西根大學的美國及外國學生使用圖書館技巧的比較研究與分析」（A comparative study and analysis of the library skills of American and foreign students at the University of Michigan）。

二、英　　國

（一）　相關學系、所開設與比較圖書館學有關課程

　　1964 年福斯凱特（D. J. Foskett）訪問美國以後，比較圖書館學首次列爲研究所課程（倫敦大學），之後也被列入LA 兩年課程的一個科目。1966 年，北倫敦多元技術學院（Polytechnic of North London）首次將比較圖書館學列入大學部課程。若干圖書館學校也開設比較圖書館學課程（Simsova & Mackee，1975：62）。1973 年，除了北倫敦多元技術學院之外，開設該課程的學校有：威爾斯圖書館學院（College of Librarianship Wales）、里茲多元技術學院（Leeds Polytechnic）及雪菲爾大學（Sheffield University）等校（Danton，1973）。辛索瓦（S. Simsova）於1974 年任教於北倫敦多元技術學院，在其所發表的文章中將其教授比較圖書館學的教學內容列出，如下（Simsova，1974：121）：

一、課程目標

　1. 事實的知識（knowledge of facts）；

　2. 透過比較深入了解；

　3. 國際了解；

　4. 理論建立。

二、課程內容

　1. 其他國家的圖書館事業；

　2. 國際圖書館事業；

　3. 比較方法；

　4. 比較理論。

三、實際比較研究

　1. 個案研究：如：斯堪地那維亞圖書館建築；

　2. 比較問題研究：如：斯堪地那維亞與熱帶國家圖書館建築；

　3. 地區研究：如：斯堪地那維亞的圖書館；

　4. 整體比較：如：斯堪地那維亞與英國的圖書館；

　5. 世界的趨勢：如：公共圖書館自動化：世界趨勢報告；

　6. 全球比較：如：二十世紀的圖書館。

　　以倫敦大學（University College London）所提供一年全職碩士課程為例，主要強調個別研究，要求有一篇報告及考試。針對比較圖書館學此一主題，也有依研究方式，寫論文以取得哲學碩士（MPhil）及博士（PhD）學位（Simsova & Mackee，1975：62）。1970 年代，英國圖書館學校教授比較圖書館學老師每年集會一次，交換彼此教學經驗。

　　在1976—1985 年十年間，英國地區的圖書館與資訊科學研究所，以國際研究爲主題取得博士學位的人數共計有34 位（見表2.2），取得碩士學位的人數，見表2.3。從表2.2 及表2.3 中可看出，無論是取得博士或碩士的人數，都以羅福堡科技大學（Loughborough University of Technology）爲最多，由於該校所

表2.2: 1976-1985 年英國圖書館學與資訊 科學系所以國際研究爲主題取得圖書館學博士學位人數 (Dixon, 1986:67)

學 校 名 稱	人　數
里茲	1
倫敦	
City	2
UCL	9
羅福堡	18
雪菲爾	4
總　計	34

表2.3: 1976-1985 年英國圖書館學與資訊 科學系所以國際研究爲主題取得圖書館學碩士學位人數（ Dixon, 1986:68 ）

學 校 名 稱	人　數
威爾斯	31 (至1983年)
伯明翰	2
倫敦	30-80
UCL	4 (M.Phil)
PNL	7
羅福堡	226
雪菲爾	121

收的外籍生人數較其他學校來得多的緣故。例如，該校的圖書館
與資訊科學研究所的博士班研究生Young Ai Um 於1987年完成
其博士論文，題目爲：「日本、韓國、臺灣圖書館教育：比較研
究」（ Library education in Japan ， Republic of Korea ， and
Taiwan：A comparative study ）。

　　狄克森（ Dixon，1986 ）分析英國在1985 年圖書館與資訊
科學研究所開設「國際與比較圖書館學」（ International and
comparative librarianship ）課程的學校計有七所：

- 威爾斯圖書館學院（ College of Librarianship Wales ）；
- 北愛爾蘭的女王大學（ Queen's University ）圖書館與資訊
  研 究 系 （ Department of Library and Information
  Studies ）；
- 伯明翰多元技術學院圖書館學與資訊研究系（ Department
  of Librarianship and Information Studies ）；
- 布萊頓多元技術學院圖書館與資訊研究系（ Department
  of Library and Information Studies ）；
- 羅福堡科技大學圖書館與資訊研究系（ Department of
  Library and Information Studies ）；
- 羅福堡技術學院圖書館與資訊科學學院（ School of Li-
  brary and Information Science ）（ 該學院已停止招生 ）；
- 北倫敦多元技術學院圖書館與資訊研究學院（ School of
  Library and Information Studies ）。

　　此外，在圖書館與資訊科學研究所中不以國際及比較圖書館
學爲課程名稱，但開設有關的課程，如下：

- 里茲多元技術學院：所有課程都有國際取向，由於該校有

許多外籍學生。

· 亞伯丁（Aberdeen）羅伯高登技術學院（Robert Gordon's Institute of Technology）與伯明翰多元技術學院：在大學部及碩士班的課程，開設有國際與比較的主題。

· 利物浦（Liverpool）多元技術學院：大學部及碩士班的課程，有許多課程是具有國際的特色，如：「圖書館功能與管理」。

· 倫敦的City 大學：開設的課程，如：「國家與國際資訊政策」、「智慧財產」（Intellectual property）等都具有國際取向。

· 曼徹斯特（Manchester）多元技術學院：開設的「書目」（Bibliography）課程含有國際的成分。

· 新堡（Newcastle）多元技術學院：大學部的課程具有國際的內容，如：「資訊查檢」（Access to information）、「圖書館學導論」（Introduction to librarianship）

· 雪菲爾大學：開設相關的課程，名稱為「發展中國家：圖書館與資訊服務」（Developing countries：libraries and information services）。

· 倫敦大學（University College London）：在文憑（Diploma）課程中開設有「東方與非洲書目」（Oriental and African bibliography）。

（二）　發表與比較圖書館學有關論文

英國境內對比較圖書館學及國際圖書館學的研究，成果可謂十分豐碩。根據克羅（Clow，1986）的分析，在1976至1985年的十年間，英國至少有371件研究計畫是與國際及比較圖書館學有關。其中的369項研究是與國際上74個國家有關。以371件研究計畫而言，約佔英國地區總研究計畫的十分之一。如以這些研究項目的內容分析，包括單一國家的研究共231件，佔總數62%，而綜合研究，即跨兩國（地區）或以上的研究，共140件，佔總數的38%，詳見表2.4。

表2.4: 英國地區1976-1985年有關國際與比較研究類型分析（Clow, 1986:105）

研究計畫	1976–1980	(%)	1981–85	(%)	十年總計	(%)
單一國家	127	(61%)	104	(64%)	231	(62%)
綜合研究	81	(39%)	59	(36%)	140	(38%)
合　　計	208	(100%)	163	(100%)	371	(100%)

以上的研究計畫如以研究的層級（Levels）來區分，可分為：(1)兩種學術的層級：博士以下（Subdoctoral）及博士的研究；(2)一種專業的層級，即高級會士（Fellow of the Library Association，FLA），相當於博士層級的論文；(3)非取得專業資格（No-qualification）的研究；及(4)未知其層級等種類，詳見表2.5。

這十年間的研究，如以研究的地區區分，以研究個別的國家居多，共有369件，佔總數82%，以地區為研究對象共有68件，佔15%，未指明地區的有14件，佔3%。地區為研究對象中，第三世界（一般研究）計有13件，非洲及非洲地區有14件，詳見表2.6。

表2.5: 英國地區1976-1985年有關國際與比較研究層級分析（Clow, 1986:105）

	1976-80	(%)	1981-85	(%)	十年總計	(%)
博士以下	80	(38%)	81	(50%)	161	(43%)
博士	45	(22%)	21	(13%)	66	(18%)
高級會士	10	(5%)	3	(2%)	13	(4%)
非取得專業 資格	69	(33%)	51	(31%)	120	(32%)
未知其層級	4		7		11	
總　　計	208		163		371	

表2.6: 英國地區1976-1985 年有關國際與比較研究的研究地區分析（Clow, 1986:109）

計　　畫	研 究 對 象 數 量	(%)
個別國家	369	(82%)
地區　*	68	(15%)
未指明地區	14	(3%)
總　　計	451	

* 以地區爲研究對象, 包括下列:

	研 究 對 象 數 量
第三世界（一般研究)	13
非洲及非洲地區	14
阿拉伯國家	2
亞洲（南亞)	2
加勒比海	2
西方（一般研究)	14
西歐地區	21

三、國　內

1935年，程伯群的《比較圖書館學》，是我國比較圖書館學研究的鼻祖，比西方學者戴恩（C. Dane）的研究（1954）早了19年。該書分為4編25章，4編分別為：圖書館行政、圖書館技術、分類編目學及書志目錄學。倪波、荀昌榮編（1981：326—327）《理論圖書館學教程》分析該書的特點有三點：

1. 對中外圖書館事業的比較研究，既有宏觀的比較研究（如圖書館立法問題），又有微觀的比較研究（如圖書館技術）。

2. 對比較圖書館學研究，由中外圖書館事業比較，延伸到對中外圖書館學教育的比較研究。如對圖書館學教育簡史、德國圖書館專科學校、美國圖書館學教育（包括學制、課程設置等）逐一比較研究。

3. 將比較圖書館學的研究延伸到對相關學科的研究，如目錄學。

自此以後，到遷臺前，未有人對這方面有研究。在國內有關國內圖書館學系所及相關研究所開設與比較圖書館學有關的課程及發表有關的論著敘述於後。

（一） 相關學系、所開設與比較圖書館學有關課程

國內相關科系開設與比較圖書館學有關的課程，如下：

1. 臺灣大學圖書館學研究所

該研究所碩士班曾於民國74、75兩年由陳豫教授開設「比較圖書館學」，目前已停開。博士班部分，民國78年由張鼎鍾教授開設「比較圖書館學研討」課程。民國79年由王振鵠教授開設此課程，至今仍開設。該研究所碩士班研究生有關比較圖書館學論文：

　　─陳敏珍「美國圖書館學會與英國圖書館學會對圖書館事業
　　　發展之比較研究」（民國77年完成碩士論文）；
　　─李淑玲「英美兩國國家圖書館之比較研究」（民國75年
　　　完成碩士論文）。
　2.淡江大學教育資料科學系所
　　淡江大學教育資料科學系曾於民國77年由陳豫教授開設「
國際圖書館學」，此課程開設於大學部四年級。此外，淡江大學
教育資料科學研究所於民國81年由馬大任教授開設「比較圖書
館學」課程，民國82年由薛理桂先生開設此課程。
　3.輔仁大學圖書資訊學系
　　該學系於民國81年由馬大任教授開設「比較圖書館學」，
但至民國82年已停開此課程。
　4.文化大學史學研究所
　　該研究所圖書文物組是國內最早開設比較圖書館學的課程，
早自民國61年由故方同生教授開設「比較圖書館學」。民國66
年改由王振鵠教授開設此課程。至民國77年，此課程由楊美華
教授開設此課程，目前仍開設。該研究所有關比較圖書館學的論
文有一篇，如下：
　　─蔡金燕「兩岸圖書館學教育之比較研究」（民國82年完成
碩士論文）
　　以上四所學校開設比較圖書館學及相關課程的詳細資料，見
表2.7。

表2.7: 國內開設比較圖書館學課程

項目 校名 系所	課程名稱	開設系所	開設 年代	開設現況
臺灣大學 圖書館學研究 所	比較圖書館學	碩士班	民74-75	已停開
	比較圖書館學研討	博士班	民78	仍開設
淡江大學 教育資料科學 系、所	國際圖書館學	大學四年級	民77	已停開
	比較圖書館學	碩士班	民81	仍開設
輔仁大學圖書 資訊學系	比較圖書館學	大學四年級	民81	已停開
文化大學 史學研究所 圖書文物組	比較圖書館學	碩士班	民61	仍開設

（二） 發表與比較圖書館學有關論文及專著

國內發表與比較圖書館學（國際圖書館學未包括在內）有關論文共計9篇，著作二本（郭麗玲、郭碧明）、譯著一本（馮正良譯）、碩士論文3篇（李淑玲、陳敏珍、蔡金燕）。以發表的年代而言，最早係由馮正良於民國64年翻譯哈維（Harvey，1973）的一篇文章，可惜未能引起國人對此學科的重視，一直到67年才有郭麗玲教授的專書出版。次年，嚴文郁教授發表一篇文章。此後，又隔五年（民國73年）才有陳豫教授的文章發表。兩年後，產生國內第一篇比較圖書館學的碩士論文，並陸續有國人對比較圖書館學有興趣並發表文章與論文。81年共有4篇論文發表，是歷年來發表最多的年份，詳見表2.8。

表2.8: 國內比較圖書館學論文發表情況

年代	姓　名	篇　名/書　名	刊物/出版項	卷期	頁　數
民64	馮正良譯	國際比較圖書館學論	臺北市:慧明		39 頁
民67	郭麗玲	中美圖書館教育之比較研究	新竹市:楓城		
民68	嚴文郁	論比較圖書館學	輔仁大學耕書集	10月29日	4 版
民73	陳豫	談比較圖書館學	輔仁大學耕書集	7月4日	7 版
民73	郭碧明	中美兩國公共圖書館制度與服務之研究	高雄市:復文		55頁
民75	李淑玲	英美兩國國家圖書館之比較研究	臺灣大學碩士論文		
民76	蘇國榮	比較圖書館學簡介	臺灣輔導月刊	37:4	11-13
民77	陳敏珍	美國圖書館學會與英國圖書館學會對圖書館事業發展之比較研究	臺灣大學碩士論文		
民78	徐金芬	比較與國際圖書館學英文期刊簡介	圖書館學與資訊科學	15:2	215-220
民79	徐金芬	比較與國際圖書館學研究方法之探討	圖書館學與資訊科學	16:1	60-79
民81	陳仲彥	比較圖書館學概述	社會教育學刊	21	283-299
民81	王梅玲	美英兩國圖書館自動化之比較	書苑	14	25-55
民81	傅雅秀	比較與國際圖書館學概說	國立中央圖書館刊	25:2	3-22
民81	張安明	圖書館資料重製行為與著作權保護初探:兼談中美著作權法相關條文比較	中國圖書館學會會報	49	261-271
民82	蔡金燕	兩岸圖書館學教育之比較研究	文化大學碩士論文		

四、大　陸

（一）　相關學系、所開設與比較圖書館學有關課程

　　美國西蒙斯大學教授林瑟菲三次（1978、1980、1982年）
訪問武漢大學，比較圖書館學教育開始受到重視。1986年，武
漢大學圖書館情報學院開始爲86級研究生開設「比較圖書館學
概論」課程。1987年，北京大學開始招收比較圖書館學方向的
研究生。1987年，南開大學、湘潭大學在圖書館學基礎課程中
講授比較圖書館學（黃學軍，1991b）。南京大學開設有比較圖
書館學課程（蕭力，1989）。中山大學圖書館學系也開設比較圖
書館學課程（黃學軍，1991b）。

（二）　發表與比較圖書館學有關論文

　　大陸地區對比較圖書館學的研究興起於1980年代。初期的
研究以翻譯西方相關的著作爲主，有關的譯作如下：

1. 1980年，北京大學圖書館學系研究生龔厚澤翻譯丹頓（
   Danton，1973）的著作《比較圖書館學概論》。

2. 1981年，吳則田翻譯美國西蒙斯大學圖書館學教授林瑟
   菲的《國際圖書館學與比較圖書館學》一文。

3. 1983年，華東師範大學圖書館學系編譯《美國及世界其
   它地區的圖書館事業》，運用比較方法對世界圖書館事業
   進行研究。

4. 1984年，王賀彤翻譯奈繆丁庫菜西的《比較圖書館學和
   國際圖書館學：一種分析方法》。

5. 1985 年，曾爭翻譯傑克遜的《比較圖書館學與不發達國家》。

6. 1986 年，北京大學教授周文駿翻譯《比較圖書館事業研究的方法論》。

7. 1986 年，王引娣等翻譯《比較圖書館學研究述略》。

8. 1990 年，蕭力翻譯西爾維亞·西姆索娃的《比較圖書館學：一門理論的學科》（黃學軍，1991a）。

1986 年，倪波、荀昌榮編《理論圖書館學教程》，其中有比較圖書館學理論一章，比較圖書館學得到大陸圖書館界的承認與關注（舒志紅，1988）。在1980 —1990 年間，此時期主要傾向於國外理論的引進，以翻譯或編譯外國文獻爲主，而眞正能夠結合大陸與世界各國情況，進行有深度的綜合性研究和專題研究的文章較少（佟富，1989；黃學軍，1991a）。舒志紅（1988）認爲大陸比較圖書館學研究存在著一個嚴重問題，即：沒有專職機構、專職研究人員，僅有零星的文章刊登，得不到應有的認識。

1980 —1990 年之間，在大陸刊物上發表的比較圖書館學論文共有59 篇，刊載於24 種刊物（大陸圖書館學刊物有93 種）中，詳見表2.9。這十年間研究比較圖書館學的人士共有47 人，以撰文的數量而言，劉迅、劉景會、周啟付等人較多。根據黃學軍（1991a）的分析，研究者對比較圖書館學的的學術觀點，完全一致的幾乎沒有，可見得大陸學者對此學科研究的熱中與百家爭鳴。

表2.9: 大陸比較圖書館學論文在各種刊物發表情
況（黃學軍, 1991a:15）

刊　物　名　稱	數量	刊　物　名　稱	數量
圖書館學研究	8	四川圖書館學報	2
圖書情報知識	2	青海圖書館	1
圖書館工作與研究	3	廣東圖書館學刊	5
圖書館學通訊	1	津圖學刊	2
圖書情報工作	2	圖書館	3
圖書館學刊	2	陝西圖書館	1
大學圖書館學報	4	河南圖書館學刊	1
圖書館研究與工作	1	安徽高校圖書館	1
圖書館學會通訊(福建)	1	圖書館理論與實踐	2
贛圖學刊	2	晉圖學刊	2
圖書館界	2	貴圖學刊	1
湖北高校圖書館	1	其它刊物	7
圖書館通訊	2		

第四節　專業學會

（一）　美　國

1900 年，美國圖書館學會（ALA）成立一個負責國際合作
的委員會。1942年改爲國際關係組，1956 改爲國際關係委員

會（Danton，1973）。1975 年的調查顯示，當時美國有四所大學中設立與比較或國際圖書館學有關的機構，如下：

1. 芝加哥大學（University of Chicago）

該大學於1953 年成立「國際圖書館事業學會」（Institute on the International Aspects of Librarianship）（Boaz，1977）。

2. 匹茲堡大學（University of Pittsburgh）

該大學的圖書館與資訊科學研究所於1964 年成立「國際圖書館資訊中心」（International Library Information Center，簡稱ILIC）。該中心主要的宗旨是提供國際與比較圖書館學有關的資訊、訓練及研究，蒐集世界各國與傳播、圖書館與資訊科學有關的資料。該中心蒐集的資料對國際及比較圖書館學的研究助益很大（Qureshi，1980）。

3. 伊利諾大學（University of Illinois）

該大學於1966 年成立「國際圖書館事業學會」（Institute on International Librarianship）（Boaz，1977）。

4. 奧克拉荷瑪大學（University of Oklahoma）

該大學於1969 年成立「國際圖書館教育學會」（Institute on Internationalism in Education for Librarianship ）（Boaz，1977）。

（二）英　　國

在英國方面，1968 年，英國圖書館學會（LA）成立「國際與比較圖書館學小組」（International and Comparative Librarianship Group，簡稱 ICLG）。ICLG 的刊物爲：Focus on International and Comparative Librarianship。英國圖書館學會中

另設有一個委員會，稱爲「國際事務附屬委員會」（International Affairs Sub Committee，簡稱IASC）。此委員會和國際與比較圖書館事業小組關係十分密切（Walker，1986）。

ICLG 的會員數，在1971年會員數超過500人（Collings，1971）。1981年，會員數達到1677人，1985年，已有82多個國家，1486人以上的會員（Walker，1986），會員人數逐漸減少。在舉世大約有200多個國家中，參與該小組的海外會員所屬的國家佔有約全世界國家的40%，其中約有三分之一的海外會員是屬於三個主要的工業化國家（澳洲、加拿大與美國）。會員數依數量多寡排序依次爲：澳洲（46）、美國（39）、奈及利亞（20）、加拿大（19）、愛爾蘭（15）、新加坡（13）、義大利（11）、香港、印度、荷蘭(10)，其他國家的會員數都在10人以下。從1985年參與該小組的會員統計中，尚無來自臺灣的會員，而來自中國大陸有3位（Walker，1986：9）。

第五節　有關刊物

國際間發行的刊物與比較及國際圖書館學有關的刊物並不多，還不到十種。刊物名稱中包含比較或國際圖書館學名稱，只有四種，如下：

- Focus on International & Comparative Librarianship；
- IFLA Journal：Official Quarterly Journal of the International Federation of Library Association；
- International Library Review；
- Libri：International Library Review。

　　另外有兩種刊物雖然在刊物名稱中未出現比較或國際圖書館學，但其內容與兩者有關，如下：

・Journal of Education for Library and Information Science；

　　・Unesco Journal of Information Science，Librarianship and Archives Administration.

以上六種刊物，依刊名英文字母順序敘述如下：

1. Focus on International & Comparative Librarianship. 1967 年創刊，一年三期。

　　該刊是由英國圖書館學會的國際與比較圖書館學小組（ICLG）編輯。刊載國際與比較圖書館事業有關的文章。由於是英國圖書館學會所屬的一個小組，因而內容主要偏重於英國，尤其是該小組有關的消息，相當於該小組所發行的通訊（Newsletter）。然而，該刊物也報導發展中國家的圖書館事業，尤其是第三世界國家的研究。該刊的內容包括文章、國際會議的報告、參觀見聞、書評等（Rooke，1983）。

2. IFLA Journal：Official Quarterly Journal of the International Federation of Library Association. 1975 年創刊，季刊。

　　本刊由國際圖書館學會聯盟（IFLA）在西德發行，可視爲該聯盟的正式出版物。該刊的編輯委員會是由歐洲圖書館員爲主，在1983年僅有一位成員是來自發展中國家。以如此的委員會組成，對該刊被視爲國際期刊的形象似乎不合適，且該刊以英文發行，附有英文、法文、德文的摘要，但對第三世界國家而言，並非是這些國家的母語（Rooke，1983）。該刊主要的功用在宣導及促進國際圖書館學會聯盟的活動。

3. International Library Review. 1969 年創刊，季刊。

本刊在英國出版，是有關國際與比較圖書館學的重要刊物之一。該刊主要目的在於報導世界各國國書館學的研究及現況，以敘述性爲主。該刊設有「榮譽諮詢委員會」（Honorary Advisory Board of Contributing Consultants），由20多個國家將近40位圖書館員所組成（Rooke，1983）。

4. Journal of Education for Library and Information Science. 1960 年創刊，一年五期。

該刊原刊名爲："Journal of Education for Librarianship"，於1985 年改爲現有刊名。該刊由美國圖書館與資訊科學教育學會出版，內容包括世界各國圖書館教育的文章，並設有「國際圖書館教育」專欄（徐金芬，民78）。

5. Libri：International Library Review. 1951 年創刊，季刊。

本刊在丹麥出版，發行的宗旨以涵蓋所有圖書館事業，加強國際間的了解與合作，提供世界各國有關圖書館問題的學術性文章的發表，如：圖書及印刷史、目錄及書目控制、學術圖書館、國際主題的文章。該刊發行以三種文字爲主，即英文、法文和德文（Rooke，1983；徐金芬，民78）。

6. UNESCO Journal of Information Science，Librarianship and Archives Administration.（簡稱UJISLAA）1947 年創刊，季刊。

該刊原刊名爲"UNESCO Bulletin for Libraries"，1979 年改爲現刊名。該刊物主要的宗旨是提供世界各國，尤其是發展中國家有關圖書館事業的基本資訊。以阿拉伯文、英文、法文、俄文及西班牙文等五種語文發行。該刊的文章大都以描述性爲主，被視爲查尋世界各國（尤其是小國家）圖書館相關資訊的重要刊物（Rooke，1983）。例如，1980 年古里希（Qureshi，1980）在該刊物上發表一篇有關比較與國際圖書館學的文章，文中討論比較圖書館學與國際圖書館學的定義、有關的期刊、研究方法、國際機構、未來發展等。

以上六種刊物與比較圖書館學及國際圖書館學有關，但其中在刊名中包括有比較圖書館學的刊物只有一種，即："Focus on International & Comparative Librarianship"，其餘五種大都偏重於國際圖書館學，而此刊物僅係英國圖書館學會所屬的一個組織的出版品，並非是正式的學術刊物。從 Ulrich's International Periodicals Directory 查到其他學科有關比較的刊物，如下：

- Journal of Comparative Administration；
- Journal of Comparative and Physiological Psychology；
- Journal of Comparative Business and Capital Market；
- Journal of Comparative Economics；
- Journal of Comparative Family Studies；
- Journal of Comparative Literature and Aethetics；
- Journal of Comparative Neurology；
- Journal of Comparative Pathology；
- Journal of Comparative Physical & Education Sport；
- Journal of Comparative Psychology；
- Journal of Comparative Sociology & Religion。

由以上其他學科有關比較的刊物，可看出比較方法在其他學

科中仍受重視，但對於圖書館學與資訊科學而言，這門新興學科
羽翼尚未豐，但已逐漸不受重視。由以上相關的刊物名稱即可見
一班。

第六節 結 語

應用「比較」在其他學科的研究最早要屬比較解剖學（1555
年），至今已有四百多年的歷史。其他學科如比較語言學（1882
年）也有百年以上的歷史。比較圖書館學如與上述的學科相較之
下實屬相當年輕的學科。比較圖書館學的發展在我國雖肇始於程
伯群先生（民24），但在我國並未有人做賡續的研究，直到歐美
比較圖書館學的研究鼻祖—戴恩（C. Dane）開始對此學科做科
學性的研究，才奠定此學科的研究基礎。

此學科在西方發展歷史中尚未滿半個世紀，以美、英等國的
研究現況而言，英國由於以往大英國協的關係，在該國的圖書館
與資訊科學系所有許多外籍留學生。由於外籍學生的關係，該國
的圖書館系所對國際與比較圖書館學尤為重視，在許多系所的大
學部或碩士班開設有相關的課程。該國對於國際與比較圖書館學
的研究可謂成果豐碩。海峽兩岸自1980年代開始，對此學科較
為熱中。大陸方面，起步雖較臺灣為晚，但近年來在這方面的研
究已有具體的成績，實值得國內效法。

參 考 書 目

王引娣譯（1986）「比較圖書館學研究述略」陝西圖書館 2/
　　3:104-6,99。

王梅玲（民81）「美英兩國圖書館自動化之比較」書苑 14:25-
　　55。

王賀彤譯（1984）（美）庫菜西·奈繆丁著「比較圖書館學和國際
　　圖書館學:一種分析方法」青海圖書館 第2期,33頁。

李淑玲（民79）英美兩國國家圖書館之比較研究 臺北市:漢美。

吳則田譯（1981）美·林瑟菲著「國際圖書館學與比較圖書館
　　學」圖書館工作與研究 1:22。

吳慰慈（1987）「論比較圖書館學的特徵、目的、內容、和方法」
　　大學圖書館通訊 1:14-19.

佟富（1989）「比較圖書館學綜述」圖書館學通訊 2:40-45.

林瑟菲（1981）「國際圖書館學與比較圖書館學」圖書館工作與
　　研究 1:22-25.

周啟付（1984）「怎樣研究比較圖書館學」四川圖書館學報 第1
　　期:9-12.

倪波、苟昌榮編（1981）「比較圖書館學」在:理論圖書館學教程
　　天津:南開大學出版社頁301-330。

徐金芬（民78）「比較與國際圖書館學英文期刊選介」圖書館學
　　與資訊科學 15(2):215-220。

徐金芬（民79）「比較與國際圖書館學研究方法之探討」圖書館
　　學與資訊科學 16(1):60-79。

郭麗玲（民67）中美圖書館教育之比較研究 新竹市:楓城。

陳仲彥（民81）「比較圖書館學概述」社會教育學刊 21:283-
　　299。

陳敏珍（民79）美國圖書館學會與英國圖書館學會對圖書館事業
　　發展之比較研究　臺北市:漢美。

陳豫（民73）「談比較圖書館學」輔仁大學耕書集　73年4月30日
　　7版.

黃學軍（1991a）「十年來我國比較圖書館學研究述評」圖書館
　　6:14-19。

黃學軍（1991b）「比較圖書館學發展述略」圖書館員　6:42-
　　44,4。

張安明（民81）「圖書館資料重製行爲與著作權保護初探: 兼談中
　　美著作權法相關條文比較」中國圖書館學會會報　49:261-
　　271。

馮正良譯（民64）國際比較圖書館學論　臺北市:慧明文化事業公
　　司　39頁。

曾爭譯（1985）「比較圖書館學與不發達國家」廣東圖書館學
　　第2期：51頁。

傅雅秀（民81）「比較與國際圖書館學概說」國立中央圖書館館
　　刊　新25(2):3-22。

舒志紅（1988）「我國比較圖書館學研究綜述」湖北高校圖書
　　館（武漢大學）3:15-17。

程伯群（民24）比較圖書館學　上海：世界書局。

蕭力（1989）「比較圖書館學研究現狀綜述」大學圖書館學報
　　2:28-35。

蕭力譯（1990）「比較圖書館學:一門理論學科」大學圖書館學報
　　1:51-57。

蔡金燕（民82）兩岸圖書館學教育之比較研究　文化大學碩士論

文。

薛理桂（民82）英國圖書館事業綜論　臺北市:文華圖書館管理資訊公司。

蘇國榮（民76）「比較圖書館學簡介」臺灣輔導月刊　37(4):11-13。

嚴文郁（民68）「論比較圖書館學」輔仁大學耕書集　68年10月29日4版。

龔厚澤譯（1980）比較圖書館學概述　北京市:書目文獻。

Boaz, M.（1977）"The comparative and international library science course in American library schools.' In: J. F. Harvey（ed.）*Comparative & international library science.* Metuchen: Scarecrow, pp.167-180.

Collings, D. G.（1971）"Comparative librarianship." In: Kent, A. & Lancour, H.（eds.）*Encyclopedia of library & information science.* v.5 New York: Marcel Dekker, pp.492-502.

Clow, D.（1986）"British-based research in international and comparative librarianship." In: I.A. Smith（ed.）*Developments in international and comparative librarianship.* Birmingham: International and Comparative Librarianship Group of the Library Association, pp.103-122.

Dane, C.（1954a）"Comparative librarianship" *Librarian.* 43(8):141-144.

Dane, C.（1954b）"The benefits of comparative librarianship." *Australian Library Journal.* 3(3)July 1954 pp.89-91.

Danton, J. P.（1973）*The dimensions of comparative*

librarianship. Chicago: ALA.

Dixon, D. （1986）"The international perspective of British schools of library and information studies." In: I.A. Smith （ ed.）*Developments in international and comparative librarianship.* Birmingham: International and Comparative Librarianship Group of the Library Association, pp.65-74.

Foskett, D. J. （1964）"Comparative librarianship' *Library World.* 66（780）:295-298.

Foskett, D. J. （1965a）"Comparative librarianship" *Lib. W.* 66（780）: 295-298.

Foskett, D. J. （1965b）"Comparative librarianship" In: R. L. Collison （ed.）*Progress in Library Science.* London: Butterworth, pp.125-146.

Foskett, D. J. （ed.）（1976）*Reader in comparative librarianship.* Colorado: Information Handling Services.

Harvey, J. F. （1973）"Toward a definition of international and comparative library science.' *International Library Review.* 5 (3): 289-319.

Jackson, M. M. （1982）"Comparative librarianship and non-industrialized countries." *International Library Review.* 14(2) :101-106.

Murry, J. A. H. et al. （1989）*The Oxford English dictionary.* 2nd ed. v.3 Oxford: Oxford University Press.

Parker, J. S. （1974）"International librarianship - a reconnaissance ." *Journal of Librarianship.* 6:221.

Qureshi, N. （1980）Comparative and international librarianship: an analytical approach. *Unesco Journal of Information, Librarianship and Archives Administration.* 2(1):22-28.

Rooke, A. （1983）"Assessment of some major journals of international / comparative librarianship." *International Library Review.* 15(3):245-255.

Sharify, N. & Piggford, R. R. （1965）"First institute on international comparative librarianship' *Pennsylv. Libr. Ass. Bull.* 21:73-80.

Simsova, S. （1974）"Comparative librarianship as an academic subject." *Journal of Librarianship.* 6(2):115-125.

Simsova, S. & Mackee, M. （1975）*A handbook of comparative librarianship.* rev. ed. London: Linnet Books & Clive Bingley.

Smith, I. A. （1986）（ed.）*Developments in international and comparative librarianship 1976-1985.* Birmingham: International and Comparative Librarianship Group of the Library Association.

Walker, M. （1986）"The International and Comparative Group 1977-1985." In: I.A. Smith （ed.）*Developments in international and comparative librarianship 1976-1985.* Birmingham: International and Comparative Librarianship Group of the Library Association, pp.3-14.

White, C. M. （1964）*Bases of Modern Librarianship.* London: Pergamon Press.

第三章　方法論

第一節　研究與科學方法

　　人類常常藉由經驗、嘗試失敗，或運用邏輯的推理來了解其
自身及周圍的世界，以滿足求知的需求。然而，要擴展知識，更
有成效、更富成果的方法，是要進行一種專門性的、有規則、有
結構的調查—即所謂「研究」。研究一詞，最廣泛的定義是「對
知識作系統的探索」（ Busha and Harter，1980，p.3 ）。根據莫
利（ Mouly ）的敘述，研究是一種「經由有系統的蒐集、分析及
解釋資料，以達到解決問題的過程」（ Powell，1985，p.1 ）。
因此研究的目的是在尋求問題的答案，而在其過程中，可能引出
新的事實、概念或構想。研究一般可區分成基礎研究及應用研究
二種。基礎研究係指為全面理解一種現象而進行的研究，不考慮
其應用成果，有時也稱之為純研究或理論研究；應用研究是較重
實效，旨在解決實際問題，或欲發現在現實世界環境中能夠馬上
利用的新知識（ Busha and Harter，1980，p.8 ）。但是有時很難
對這二種研究加以區別，因為由基礎研究獲得的成果，可以用來
解釋日後實際上發生的問題，而應用研究得到的結論也可以結合
到基礎研究的理論知識主體。因此，二者的差別，在於前者的研
究目的是為建立理論或學說而研究，後者則以解決現實問題為出
發點，建立理論為其部份目的（楊國樞等，民78，頁37 ）。綜

合上述，研究的目的是在探索問題及獲取新知，而自古以來，人類獲得知識之途徑及解決問題的方法，包括：⑴訴諸權威、⑵親身經驗、⑶演繹法、⑷歸納法，及⑸科學方法。而一般皆以科學方法爲最適宜的方法。「科學」一詞的定義，依據楊國樞的解釋爲：「以有系統的實徵性（Empirical）研究方法，所獲得之有組織的知識」。此項定義的重點不在研究的題材，而在研究的方法，不管所研究的題材爲何，只要所用的是有系統的實徵性研究方法，便可以算是科學（楊國樞等，民78，頁3）。

一、科學研究的目的

科學研究的最主要目的有三項，即：解釋（Explanation）、預測（Prediction）及控制（Control）（楊國樞等，民78，頁8）。解釋是科學研究最基本的目的。解釋事項需要有關於事項的實徵性知識，而科學研究正可提供這種知識。科學知識的極致便是理論，而理論則是解釋的最佳工具。事項一經解釋後，便會產生了解，而了解的增加會導致進一步的懷疑，科學研究者在產生進一步的懷疑後，會繼續從事更深一層的研究，所得結果將增進更多的了解。

科學研究的第二個目的是預測。解釋是對已經發生的事項所作的說明，預測則是對尚未發生的事項所作的預度。預測是科學知識的邏輯意涵，因爲根據科學知識或理論，經由邏輯的推論或數學的演算，便可導出種種的預測。這些預測可能是實用性的，可作爲實際行動的依據；有些則可能是研究性的，可作爲科學研究的假設。

科學研究第三個目的是控制。控制是指操縱某一事項的決定因素或條件，以使該事項產生預期的改變。凡是能作良好預測的科學知識或理論，往往也是從事控制工作的良好依據。預測的進行是先要知道某事項之決定因素或條件的情形，進而預度該事項所可能出現的情形；而控制則是先要操縱某一事項的決定因素或條件，從而產生控制者所希望獲得的結果。

　　爲了達到解釋、預測及控制的目的，科學研究的主要工作即在探討及建立各事項間的關係。

二、科學方法的組成部份

　　科學方法主要是指歸納法（Inductive method）及演繹法（Deductive method）。歸納法是先觀察、蒐集及記錄若干個別事例，探求其共同特徵或特徵間的關係，從而將所得結果推廣至其他未經觀察的類似事例，而獲得一項通則性的陳述；演繹法的進行方向則正好相反，是從一項通則性的陳述開始，根據邏輯推論的法則，獲得一項個別性的陳述。科學研究法的產生，可以追溯到十五世紀培根（Francis Bacon）的演繹法修正論，而牛頓等人，爲了採取更實用的方法以獲得可靠的知識，更將歸納法與演繹法合併起來使用（楊國樞，民78，頁40）。這種綜合觀察與推理來尋求知識的方法，直接導致了現代科學研究法的產生。這種科學方法主要是由下列四個步驟所組成（楊國樞，民78，頁5）：

1.建立假設

　　任何科學的研究，都必須要有一個以上有待解答的問題。所謂假設（Hypothesis），便是對這些問題所提出之暫時或嘗試的答案。科學研究的假設主要來自於：研究者的猜想、以往的研究所暗示、或從某一理論推論而來。

2.蒐集資料

假設建立之後,即可著手蒐集實徵性資料(Data),以便根據事實來驗證假設的眞僞。爲了有效驗證假設,必須事先從事研究設計(Research design)的工作,使所蒐集的資料儘量與假設有關,而不可散漫無章。研究設計是計劃創造適當的驗證情境,使所研究的事項得以出現或變化,並加以有效地測量,同時也要考慮對不相干的因素如何加以控制。

3.分析資料

在科學研究中,經由觀察或其他方法所獲得的初步資料,通常是雜亂無章,無法直接用來驗證假設或解決問題。因此必須採用適當的方法(通常是各種統計方法)將資料加以分析,以使原始資料成爲分類化、系統化及簡要化的結果。統計分析的功能有二:一爲簡化資料,以便把握其分佈情形;二爲檢定事項與事項間關係的有無及程度。經由統計分析,研究者便容易得到研究的結論。

4.獲得結論

科學研究的結論必須根據證據(資料),而不可訴諸情緒。通常在現象界中,每一事項可能會同時受到數個事項的影響,經由適當的研究設計與統計分析,可以判定是那些事項對所研究的主要事項發生影響,或與研究的主要事項有關,此種判定也就是對當初所建立之研究假設的檢證(Verification)。科學研究者通常會根據驗證假設所得的結果,推廣其適用的範圍,而得到一種概括性的陳述,稱之爲概判(Generalization),進而形成一種理論(Theory)或定律(Law)。

綜合上述，　科學方法具有下列幾項特性：(1)普遍性（Universality）、(2)重覆性（Replication）、(3)控制性（Control）、(4)測量性（Measurement）、(5)可行性（Feasibility）、(6)驗證性（Verification）及推論性（Reasoning）。

第二節　比較圖書館學的方法論

一、圖書館學的研究方法

圖書館員為了解決技術與讀者服務及其他長久以來的圖書館學問題，所使用的方法包括五種來源：(1)訴諸權威（Authority）、(2)親身經驗（Personal experience）、(3)演繹推理（Deductive reasoning）、(4)歸納推理（Inductive reasoning）、及(5)科學方法（Scientific method）（Krzys，1975）。其中訴諸權威及親身經驗均有其缺點，前者受到限制，後者流於偏見。而單一的演繹或歸納推理，則可能因建立的前提有誤，或資料蒐集的不全，而無法達到盡善盡美、令人滿意的結論。因此結合演繹及歸納二種推理方式的科學方法，一般咸認為是研究圖書館學最合宜的方法。

在1930年代初期，圖書館員開始對科學研究產生極大的興趣。圖書館學的研究起點是純粹的敘述，亦即研究是設計來解釋什麼（What）以及發生什麼（What happens）。圖書館員終於了解到超越只是說明事件和過程的研究價值，逐漸地學習到科學方法可以有效應用在圖書館學，以研究圖書館的理論問題及實際困難（徐金芬，民79　）。由於圖書館學的科際性質，以及這門學科所涉及的範圍相當廣泛，有大量的圖書館學課題值得探討。因此，許多的研究方法也適用於各種研究的專門問題。一般而言，圖書館學的研究方法可分爲十二種類型：1.實驗法、2.調查法、3.歷史法、4.作業研究法、5.個案法、6.觀察法、7.評鑑法、8.統計法、9.比較法、10.內容分析、11.得懷術、及12.文獻研究。茲將各種研究方法扼要敘述於後：

1.實驗法（Experimental research）

　　實驗可以定義爲一種研究環境，研究人員在這個環境中能夠精確地說明或控制在研究中普遍存在的各種條件。實驗設計通常包括控制組及實驗組，控制組的目的是用來作比較。透過實驗設計，可以處理一個或多個自變項（Independent variables）的值，並觀察研究結果對一個或多個實驗組的他變項（Dependent variables）的值的影響。實驗法是檢驗困果關係最適宜的方法，不過由於倫理及實際原因，這種實驗法往往不能運用到涉及人的情況。在圖書館學中，實驗法可以應用於：

・檢驗館藏發展、維護及使用的新方法；

・辨別一些定義不清或過去未曾觀察到的圖書館或資訊現象；

・探討圖書館及資訊科學產生某些現象的條件（Busha and Harter，1980，pp. 35—51）。

2.調查法（Survey research）

　　調查研究是從各種大小母群體中隨機抽取樣本，以獲得能反映當前性質的實徵性知識，以便於對所研究的母群體之特徵、意見或態度加以概括（Generalization）。調查法可以使研究人員不必進行全面的列舉，即可蒐集到有關目標母群體的資訊。調查研究使用的工具和方法包括：問卷、面談、測試、隨機和分層取樣，以及許多檢驗假設的統計方法。在圖書館學中，調查法最適宜研究以下諸問題：

- ・讀者是否喜歡圖書館之館藏或服務；
- ・讀者需要的資訊種類及最常使用的資訊來源（書、期刊、報紙等）；
- ・館員對其專業的態度和意見；
- ・圖書館學校學生對課程及圖書館學教育的一般看法（Busha and Harter，1980，pp. 53—90）。

3.歷史法（Historical research）

歷史研究的主要目的是在「透視目前，以便於企劃未來」，歷史研究與編年史（Chronology）最大區別在於後者僅是歷史事件的陳列，而歷史研究則必須對事件加以解釋（Powell，1985，p. 137）。作歷史研究要依以下步驟進行：

- (1) 認識一個歷史問題，或確認對某種歷史知識的需要；
- (2) 盡可能蒐集與問題有關之資料；
- (3) 嘗試提出解釋歷史因素（變數）之間關係的假設；
- (4) 大力收集和整理證據，證實資訊及其來源之可靠性及眞實性；
- (5) 對蒐集到的證據加以選擇、整理和分析，並作出結論；
- (6) 將結論於予記錄。

歷史研究對圖書館學之知識本體有所貢獻，且便於我們了解過去的事件是在何時發生（When）、怎樣發生（How）、爲何發生（Why）及其對圖書館的重要意義（Busha and Harter，1980，pp. 71—120）。

4.作業研究法（Operations research）

　　作業研究是運用科學方法於管理經營，以幫助管理人員作成決策，主要探討組織或系統的活動，目的是爲管理工作的決策提供一個量的基礎。作業研究方法包括三個主要步驟：

　　⑴　問題公式化；

　　⑵　方法設計；

　　⑶　資料蒐集與整理。

　作業研究與系統分析（System analysis）及系統模擬（System simulation）常被當作同義詞使用。把作業研究最早應用到圖書館學的是摩爾斯（Philip Morse）。在其所著「圖書館效率」（Library effectiveness）一書中，從概率的角度探討圖書館中的問題，包括：滿足流通需求的方法、預測未來需求、何時汰舊書籍或訂購複本等（Busha and Harter，1980，pp.121—143）。

　5.個案法（Case study method）

　　個案法是對特定的對象進行周密的研究。資料蒐集的方法主要是靠直接觀察，有時得以面談及問卷加以補充。個案研究的主要優點是可以對研究的問題提供全面的、詳細的檢驗和分析，使得研究成果能直接用於被調查的對象。個案研究的一般過程包括：

　　⑴　瞭解研究項目，並加以解釋；

　　⑵　匯整並分析有關資料，定義及描述有關術語及變項；

　　⑶　敘述問題或提出假設；

　　⑷　選擇一個案作爲研究的特定目標；

　　⑸　仔細觀察研究目標，並找出因果關係；

　　⑹　資料蒐集足夠，即可驗證假設。

　在圖書館學中，個案研究的主要對象包括：

(1)　組織，如圖書館、媒體中心、圖書館學校，或這些單位的重要部門；

(2)　人員，如圖書館員、助理人員或讀者；

(3)　計劃或程序，如資訊系統及各種研究計劃（Busha and Harter，1980，pp.151—154）。

6.觀察法（Observation）

　　觀察是指一項調查的物體或對象置於嚴密的（通常是視覺的）監督之下，以此獲得和命題或理論有關的資訊。因此觀察的目的，是要滿足研究人員對一項特定研究任務的興趣及好奇心。雖然觀察是一項相當初級的過程，但對描述性研究工作卻是不可或缺。觀察的方法包括現場觀察（Participant observation），是指研究人員參與被觀察的實體或活動中，有干涉（Obtrusive）及不干涉（Unobtrusive）二種方式；及受控觀察（Controlled observation），是指研究人員採取特殊的位置，對研究對象進行直接但卻不加以干涉的觀察。（Busha and Harter，1980，pp.147—151）

7.評鑑法（Evaluation research）

　　評鑑研究是指對圖書館計劃實施的成敗進行研究，以獲得客觀及有系統的證據。通常在評鑑一項計劃時，係依照標準、目的及宗旨來判斷其效用（Effectiveness）。基本上，評鑑研究是根據圖書館的目的，圖書館計劃及最終目標來測量圖書佰的作業情形，旨在促進圖書館的服務及改進其工作。進行評鑑研究，包括以下六項步驟：

(1)　決定評鑑的項目及評鑑的理由；

(2)　參照現有的標準、目的及宗旨，建立欲被評鑑項目的積效標準；

(3) 選擇合適的調查方法及適當的測量準則；

(4) 測量或檢驗被評鑑項目，以確定其積效標準；

(5) 比較計劃的目的及宗旨（即目的達到的程度）；

(6) 根據分析過的資料評鑑整個計劃（Busha and Harter，1980，pp. 160—164）。

8.統計法（Statistical method）

在研究過程中，圖書館員編輯、收集了許多不同類型的數字資料，定量分析法（Techniques of quantitative analysis）能夠幫助館員對這些資料做正確的解釋。統計方法可以有許多目的，描述統計（Descriptive statistics）包括對原始資料進行總結、簡化、壓縮和表達，把資料的存在傳輸給他人，主要是報導性的。推論統計（Inferential statistics）是用來做預測、檢驗假設，及由樣本的特性推論母群體的特性，推論統計在某種意義上，能使資料的意義更清楚地顯示出來。統計方法在圖書館學的應用，能使館員從研究中獲得大量的資訊、能夠檢驗假設、計算平均值和集中趨勢、鑒定變項之間的關係、做預測、確定測量工具的效度及信度，以圖表展示研究資料、判定二個測試組之間差異的顯著性等等（Busha and Plarter，1980，pp.191—194）。

9.比較法（Comparative method）

比較研究方法是對相同事物的不同方面或同一性質事務的不同種類，透過比較而找出它們的共同點或差異點，來深入認識事物本質的一種方法。通常比較的過程可分為四個階段：

(1) 敘述：蒐集資料，對欲研究的事象、制度等於予敘述；

(2) 解釋：從各種不同觀點說明敘述的內容產生的原因、意義及影響；

　　(3)　並列：並列的主要目的，是根據適當的標準，找出可供
　　　　　比較研究的假設；

　　(4)　比較：根據上述的假設，從事比照研判，以獲致結論。

10.內容分析（Content analysis）

　　內容分析是對存在於印刷資料或視聽資料中的詞、片語、概
念、主題、符號、甚至句子及段落進行客觀的分析。它是對「明
確的內容進行客觀的、系統的，和量化描述的一種研究方法（吳
彭鵬，1987，頁230）。在對傳播的內容做分析時，把被觀察的
資料轉換成詞、主題、動機、概念等一組組的符號，並將其用數
量來表示。用內容分析來檢查文獻，能使文獻的含義或傳播的信
息更爲清晰。進行內容分析一般以下列步驗來完成：

　　(1)　研究問題的形成；

　　(2)　定義並建立假設，以及假設接受檢驗的分析項目；

　　(3)　瞭解並選擇欲分析的資料；

　　(4)　根據事先決定並定義好的項目做有關文獻分析及內容測
　　　　　量；

　　(5)　將分析好的單元量化並排序；

　　(6)　把得到的資料與自變項進行分析和比較；

　　(7)　對牽涉到研究問題、假設或調查理論的資料加以解釋（
　　　　　Busha and Harter，1980，pp.171—176）。

11.得懷術（Delphi method）

　　得懷術是在二十世紀五十年代初期由蘭德公司（Rand Cor-
poration）發明，目的是在預測有關國防的將來發展。德懷術是
由一套修正過的調查步驟組成，把由一組選定的專家判斷得來的

資料更加精確化，利用得懷術可以在一組選定的不記名回答人中間取得一致的意見。它可以應用在各種問題上，例如：

   (1) 技術預測；

   (2) 確定價值和喜好；

   (3) 判斷未來幾年的生活品質及其他條件；

   (4) 決策過程；

   (5) 鼓勵技術發明。

典型的得懷術研究步驟包括：

   (1) 選定一組專家，須能對問題提供深入的見解；

   (2) 要求每一位參與者對預先選定的問題填寫一份價值判斷、預測及意見表；

   (3) 蒐集初步的回答，將其納入問卷內，供第一輪互相切磋時使用，然後要求小組成員依自己獨立的見解，將問題敘述依重要性排定次序；

   (4) 根據參與者送回的問卷，利用統計法分析資料，將問題依照修正過的次序重新整理，提進另一份問卷以備第二輪使用，並將排列好的統計結果提供給回答者；

   (5) 把第二輪問卷交給同樣的小組成員，要求其重新考慮第二次的回答，並給予第二輪的統計結果；

   (6) 重覆第5個步驟，進行第三輪的互動，回答人的意見在第三輪如果仍在四分位數間距之外，就得請其回答為何想法不變。

在第三輪結束時，研究人員準備一份對各問題排定次序的最後草案，說明有多少意見有了改變，把一致的意見及由參與者得出的有關評論做一總結（Busha and Harter，1980，pp.176—178）

12.文獻研究（Documentary research）

文獻研究是指對圖書館學中的印刷式工具書——書籍、期刊與索引等的探討，對這些文獻正文裡的詞進行客觀的、定量的分析。文獻研究包括書目計量學（Bibliometrics）及自動索引、摘要和分類（Automatic indexing ，abstracting，and classification）。書目計量學涵括寫作及出版相關方面的測量問題及引文分析（Citation analysis）。自動索引、摘要及分類是利用電腦將文獻正文裡抽出最重要的詞作爲關鍵詞，抽出關鍵句作爲摘要，或把文獻分入各個主題類表（Busha and Harter， 1980 ，pp.178—180）。

二、比較圖書館學研究方法與比較教育學研究方法

有些學者認爲比較圖書館學是社會科學中一個較年輕的比較學科，因此缺乏一套完整的研究方法和研究經驗，在其他社會科學中，比較圖書館學與比較教育學的關係最密切，因此可以借鑒比較教育學的方法和經驗（佟富，1989）。而有學者認爲一切研究方法都直接或間接涉及到比較，歸納的、演繹的、歷史的、經驗的、統計的、科學的、數量的、實驗的方法都是如此，因此建議應當利用一切科學手段來進行比較研究（周啟付， 1984 ）。比較圖書館學的重點是在「比較」的部份，至於資料蒐集的過程，上述十二種圖書館學的研究方法皆可使用。有關十二種研究方法的實例，見表3.1。

至於比較的步驟，一般比較圖書館學的學者部傾向於借用比較教育學的研究步驟，將其分成敘述（Description）、解釋（Interpretation）、並列（Juxtaposition）及比較（Comparison）

表3.1: 十二種研究方法舉例

研究方法	舉 例
實驗法	圖書醒目的展示對美國伊利諾州公共圖書館使用的影響
調查法	美國中西部公共圖書館對圖書審查制度之研究
觀察法	南非大學圖書館線上檢索讀者滿意度之研究
歷史法	我國公共圖書館事業
個案法	英國威爾斯大學圖書館
作業研究	大學複本圖書的汰舊率
統計法	美國書目中心的使用頻率
評鑑法	巴基斯坦大學圖書館的館藏使用
內容分析	日本公共圖書館小說類館藏的暴力傾向
比較法	英美二國的圖書館員繼續教育
得懷術	美國圖書館教育的未來
文獻研究	澳州國立大學教師著作的引文分析

四個階段（Krzys，1975）。大陸學者龔厚澤在其所譯「比較圖書館學概論」一書中指出，除了多社會的因素之外，還有幾個條件也是比較圖書館學在做比較研究時必須具備的（龔厚澤譯，1980，頁9）。

1. 被調查研究的現象必須具有根本的相似點，它們不得是完全不同的；
2. 各現象不得是完全一模一樣的；
3. 必須絕對明確在考察的究竟是那些具體特徵（即圖書館的那些方面），這就要求界限分明，定義清楚；

4.對被考察的諸因素之間的異同點，必須有所描述和分析；

5.必須有對差異點的解釋。

綜合上述，比較圖書館學不能只依靠單一的方法去研究圖書館現象，比較圖書館學應從運用圖書館學和其他相關學科所採用的研究方法，包括調查法、實驗法、觀察法、歷史法、個案法、作業研究、統計法、評鑑法、內容分析、得懷術及文獻研究等，經由這些方法蒐集到的資料，再經過比較的階段——敘述、解釋、並列、比較——找出所欲研究對象間的異同點，以便作深入的分析及結論。

第三節　比較圖書館學的研究過程

本節主要針對比較圖書館學的研究過程作一簡略說明，茲分為「選擇研究題目」、「資料的蒐集」及「比較」敘述。

一、選擇研究題目

對於研究題目的選擇將分為「影響選擇題目的因素」、「界定研究題目與範圍」、「評量研究計劃執行的可行性」及「研究計劃應用的概念」等四部份，分別說明如下：

（一）　影響選擇題目的因素

由於在選取研究題目時，除了考慮能力、興趣外，同時存在其他因素會直接或間接地影響研究題目的選擇。大致而言，有下列七種因素，影響題目的選取：

1.研究者對研究主題了解及其經驗與學識背景

通常而言，比較研究方法的最佳途徑，是長期居住在某一地區，以便掌握該地的各項目情形，並且比較能夠通盤了解該地社會、經濟、文化及政治等各項情形。長住在某一區域，雖然能夠深入了解該區的各項狀況與整體情形，但是也容易對於該地區產生情感，陷入主觀意識而不自覺，而失去中立、客觀態度，各有其利弊得失。不過就深入性的比較研究，必須常藉助長期間的居住方式，進而深感其受，通盤掌握各項情形；至於粗淺性的比較研究，可以經由文獻閱讀或探討，而達到研究、比較的目的（Simsova & Mackee，1975，p.38）。

2.語文能力的運用程度

由於比較性的研究，常常必須作跨國或區域性的相互評比，所以必須能夠十分流利地使用該國或地區的語言，進而閱讀文獻，以及深入了解該區的政治、經濟、文化等情形，或者作區域性的訪談。若是語言能力，無法流利地使用，無論是文獻閱讀或是訪談，皆無法著手進行。所以，比較研究首要條件，必須是具備流利的語文能力，而後才能進行比較研究（Simsova & Mackee，1975，p.39）。

3.對當代情形的認識與了解

比較研究除了作表面性質的評核外，更重要的是能夠探討內部或真實面的影響因素。為了達到此一要求，研究者必須對當代情形有一深入的體認與了解。上從近代歷史、政治，下從社會各種層面，都要能夠有所涉獵。如此，始能在比較研究過程中，發掘真正的原因與問題。否則，只是浮光掠影地剖析與比較外在結果、表徵，而無法實質探討比較及其因果關係（Simsova & Mackee，1975，p.39）。

4.研究者的興趣與動機

研究者的研究動機，往往與其個性及環境有關。所以在選擇某一研究主題時，往往必須視研究者的興趣而定（Simsova & Mackee，1975，p.39）。

5.研究題目的釐清與界定

在選擇研究題目，除了必須顧及研究興趣外，亦須對研究題目有一粗略性的了解。所以，研究者首先對於題目的研究問題能夠明確地釐清與界定後，爾後才能夠對研究題目，朝一正確方向去研究與討論（Simsova & Mackee，1975，pp.39—40）。

6.文獻是否掌握完整

有時研究者選擇的題目十分適合研究，亦符合研究者的興趣、學識背景等因素，但是有關研究題目的文獻十分稀少。換言之，研究的題目可能是屬於原創性質，研究範圍仍待探討與發掘，研究者需要有足夠的時間、學識背景、能力等各項因素，在十分齊全、完備與充份地搭配的情形下，始能完成研究；或者是他人已從事同一研究多年，而且成果豐碩。所以，當研究者在選擇研究題目時，必須了解相關的研究文獻，作爲參考之用，而且可避免重覆研究。所以在決定某一研究主題時，必須考慮是否能夠充份掌握相關文獻，避免重覆研究或作爲研究的起始基礎（Simsova，1982，p.19）。

7.研究計劃的截止期限

在選擇題目時，必須完全掌控研究的進度，以便研究能夠順利完成。換言之，研究者必須了解研究的時間長短，考慮研究題目的難度與層次。通常較長的時間，比較能夠從事較難或層次較深的研究主題（Simsova，1982，pp.20—21）。

（二）　界定研究題目與範圍

　　在選定比較研究的題目後，首要之道即是著手對題目作一明確的釐清，界定研究的範圍。若是無法清晰地釐定研究題目的主題，往往是徒勞無功，事倍功半。魏普斯（Waples）就列舉九大程序，藉以訂立研究題目。茲分別條縷如下（Simsova & Mackee，1975，pp.40—41）：

　　1.詳盡地敘述研究問題及制定研究題目名稱；

　　2.界定研究範圍與限制；

　　3.進行文獻探討，掌握以前相同或類似的研究，並進而了解研究現況；

　　4.分析研究子題與假設；

　　5.評估資料來源；

　　6.取得資料來源的方式；

　　7.列舉研究大綱；

　　8.評估研究所需的成本；

　　9.擬定研究計劃的時間表。

（三）　評量研究計劃執行的可行性

　　在正式執行研究之前，必須對研究計劃作一測試。換言之，研究者必須針對研究的主題與計劃，先行預測與試行。一般而言，有二種方式。一爲端視研究所需資料的掌握而定。資料掌握得愈多，研究計劃的可行性愈高。另外一種方式，乃是經由文獻廣泛的閱讀與探討後，找出以前與現行研究情形，再確定研究主題。同時，亦列出所需的研究資料（含訪談）。此外，亦須對研

究計劃時間與進度加以控制（ Simsova & Mackee，1975，pp.41
—42 ）。

（四）　研究計劃應用的概念

　　在比較研究過程中，其中最重要的是應用何種觀點或價值體
系，作爲研究的主導方向。因爲在比較的歷程中，必須由研究者
主導研究方向。所以，應用觀點或價值體系的不同，即使同一研
究主題，其結果亦會有不同程度的差異。然而，應用的體系爲
何，則端視研究者而定。所以在決定研究題目後，必須確立應用
的體系，並前後求取一致與協調性，否則可能導研究失敗（
Simsova & Mackee，1975，pp.43—44 ）。

二、資料的蒐集

　　在訂立研究題目後，接下來是資料的蒐集工作，試從「尋找
資料的程序」、「資料類型」、「了解資料的取得方式」、「資
料的取得與解釋」，以及「尋找比較研究方式」等方五面，討論
與說明相關的注意事項。

（一）　尋找資料的程序

　　在從事資料蒐集的過程中，如何在最短時間內，有效地找齊
所有的資料，是一件非常重要的任務。但是最主要的前題，是研
究者必須事先確定研究的主題爲何？辛索瓦提出下列六大問題，
協助研究者確定尋找的資料：

　　1.尋找的資料是什麼

　　如前所述，研究者必須確定研究主題爲何？當然在尋找資料

的過程中，也可以協助研究者釐清研究主題的重點爲何？但是前題是研究者必須選定從事的主題後，才能進行資料的蒐集（Simsova，1982，p.26）。

2.研究題目的相關關鍵字串

確定研究題目後，研究者必須思考一下，有那些與題目相關的關鍵字串、同義字等，作爲尋找資料的起始（Simsova，1982，p.26）。

3.有無相關的書目、索引與摘要等參考工具

對於相關或雷同的研究題目或論文，應確實掌握，尤其是參考工具列舉的書目、款目，皆可作爲找尋資料的起始。例如LISA（ Library and Information Science Abstracts ）是依據標題來列舉相關的文獻，研究者可以從這些標題著手，找出相關研究的文獻作爲參考之用；其他的工具如Library Literature等亦是。因爲研究者可以透過此類工具，作爲蒐集研究資料的開端，以及研究的參考（Simsova，1982，p.26 ）。一般而言，善於利用此項工具，具有下列優點（Simsova & Mackee，1975，pp.48—49 ）：

・系統性地蒐集資料，並可以對不同時間與團體所作的研究，加以比較。

・蒐集的資料較爲完整，避免資料的遺漏。

・能夠在短時間內，完成資料的蒐集。

・藉此對不同的資料加以比較。

雖然利用此法具有上述優點，但是亦有下列缺失（Simsova & Mackee，1975，p.49）：

・導致研究僵硬，甚至誤導研究的方向。

·對於資料的蒐集，喪失了選擇的機會。

·可能遺漏某些資料而不知，甚至扭曲資料的原創性。

4.研究題目有無時間的限制

相同的題目在研究的層次上，亦是有所不同的。有的只限在某一時期內，所以，蒐集的資料的範圍上，亦隨之不同。例如「1970的中英公共圖書的比較」與「1980的中英公共圖書館的比較」，在文獻的蒐集上，是截然不同的（ Simsova，1982，p.27 ）。

5.研究是否會侷限在某一語言

從事比較研究的必要條件之一，即是必須具備二種以上的語言能力。但是並非所有的研究者皆能通曉所有的語文，有時研究者所需的資料，恰好是研究者不熟悉的語言。所以在資料蒐集上，亦須考慮是否有語文的限制。否則，找到文獻後，研究者也無法應用（Simsova，1982，p.27—28 ）。

6.蒐集的資料是否只限制在某一種類型

研究資料的範圍，可以是無所不包的，當然資料的類型亦是有所不同的，而且功能各有不同。例如訪談錄音與書，在功能上的扮演就有所不同（ Simso— va，1982，p.28 ）。

（二）　資料來源

在資料蒐集上，除了著重如何蒐集外，亦須注意不同的資料來源，所提供的功能也會所不同。然而，資料來源可以分爲那幾種呢？一般而言，資料來源可以分爲「主要來源」、「次要來源」以及「輔助來源」等三種類型，茲分別闡述如下（ Simsova & Mackee，1975，pp.45—46 ）：

1.主要來源（Primary sources）

　　所謂的「主要來源」，依據蘭德柏格（Lundberg）的定義，是指「由原作者直接編輯或提供的資料」。此種資料，基本是由作者直接產生與提供的，所以就資料性質的觀點而論，比較忠實而且錯誤率低、主觀性高。而主要資料又可區分爲：「歷史來源」（Historical sources）與「調查來源」（Field sources）等二種性質的資料。前者是指每年度由圖書館、政府機構與學會等機構所出版的報告、會議報告、圖書館法案、計劃等資料。後者是屬於敘述性的資料，如觀察、訪談、拜訪與通信等。

2.次要來源（Secondary sources）

　　次要來源是以主要來源爲依據，間接產生的資料。資料的正確性不若主要來源眞實，但是卻具有較高的客觀性。例如書、摘要、文章等皆是。

3.輔助來源（Auxiliary sources）

　　至於輔助來源必須視研究者的研究態度、知識背景、興趣等方面而定，即使相同的研究題目，給予不同的研究者研究，其輔助資料來源亦無法完全相同。所以，輔助來源是因人而異的。

（三）　了解資料的取得方式

　　在研究過程中，如何將資料蒐集完整，的確不是一件易事。尤其是在有限的時間內，有效地將資料蒐集齊全，更是一件刻不容緩的重要課題。所以除了透過相關的索引、摘要、書目、指引等工具，找出資料出處。更重要的是，必須了解各資料中心或圖書館蒐藏資料的情形，如數量、名稱及起迄年代等（Simsova & Mackee，1975，pp.47—48）。

三、比　較

比較的部份將試從「比較原則」、「比較程序」與「比較的困難」等三方面分別說明如下：

（一）　比較原則

在比較的過程中，有幾項重要原則必須事先確立後，始能著手進行比較。約略而言，比較的原則有四：

1.可比性原則

所謂的「可比性」，是指在選擇比較對象時，必須確定比較的可行性。其中包含了「確定比較前提」與「確定比較對象的領域」等兩方面。前者是指在比較之前，必須事先確定比較對象或者須是同一類型或性質，以及在從事比較之前提出一個特定標準，使不同類的現象、事物間，具有某種比較的可能性。至於後者，可以分爲兩種。一種是相似或相異的事物或現象中，求取可以比較的研究，如圖3.1所示。至於第二種與第一種恰好相反，第一種是各種現象中，求得比較的研究，屬於由因素中取得比較的結果；而第二種則是從不同事物的影響與關係中，取得比較的研究，屬於從結果中探求其因素與原因，如圖3.2所示。

2.客觀性原則

至於「客觀性」，是指在比較過程中，爲了能夠求取研究過程與結果前後一致，不會相互矛盾，所秉持的一項原則。換言之，無論在比較研究過程中的資料選擇、解釋與分析，研究者皆能持客觀的原則從事比較，去除主觀意識的主導與研究。

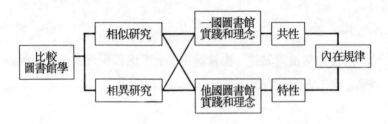

圖3.1: 可比性的比較圖示之一(倪波、荀昌榮，1981，頁320)

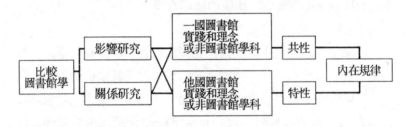

圖3.2: 可比性的比較圖示之二 (倪波、荀昌榮，1981，頁320)

3.關聯性原則

　　所謂「關聯性原則」，乃是在從事比較研究中，研究者必須從整體的研究觀點進行比較。換言之，在比較圖書館學中，除了涉及圖書館本身外，亦須從相關的文化、政治、社會、歷史與地理等環境，進行剖析、釋解與比較，始能完成真正的比較研究。

4.動態原則

　　至於「動態原則」，就時間與環境方面而言，是研究者在從事比較研究中，必須注重不同時期與環境的研究比較。因為在不同時間與環境中，會產生不同的比較與結果，甚至彼此間亦存在著互動關係相互影響。

（二）　比較程序

　　整體而言，所謂的「比較」，其完整的過程中，涵蓋了「敘述」、「解釋」、「並列」與「比較」等四大程序（如圖 3.3 所示），茲分別說明於後：

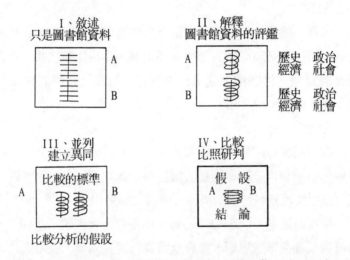

圖 3.3: 比較程序示意圖(Krzys, 1983:38; 徐金芬, 民79, 頁71)

1.敘　述

　　比較研究過程中，第一步驟即是將資料加以記載與敘述。一般而言，可分為下列二點說明：

　　(1)決定相關性的資料並加以記述

　　首先，研究者必須對資料有所認識。在閱讀文獻之後，就可以對文獻有一整體性的了解。此時，研究者即可以根據研究主題，開始決定選擇那些資料，而僅留下相關的資料，並加以詳實記載，作爲研究之用。

(2)查核資料的正確性

在決定留下相關的資料後，針對這些資料進行考核與查核，反覆查證資料的正確性，以免影響日後研究引用錯誤的資料，導致研究方向錯誤。

2.解釋

依據上述程序，已經決定留下那些資料，並已查證資料的無誤後，研究者必須開始解讀與闡釋資料，作爲比較之用。否則，僅是將資料加以閱讀，並未經過解釋，只是將資料表面化的處理，無法作爲比較之用。

3.並列

在資料經過解釋後，研究者必須根據研究主題與方向，將上述解釋資料加以分類與歸類，爾後再予與並列。粗步地將資料呈現，藉以顯現資料特性的異同，便利比較之用。

根據布蘭迪（G.Z.F. Bereday）的解釋，所謂的「並列」，乃是依據某種標準或原則，忠實地將資料逐一列舉、展開與敘述。其目的在於促使研究者經由並列的方式，從中發現可以比較的項目、觀念與假設，作爲比較的事前準備與籌備工作（Simsova & Mackee，1975，p.53）。

4.比較

所謂的「比較」，究竟所指爲何呢？依據鮑汀（J. M. Baldwin）的定義，「比較」乃是指從二個不同的物體（Object）中，發掘其間的差異（Difference）與相同、相似（Likeness）之處。所以，比較是一種「同中求異」、「異中求同」的尋找、核對過程，藉以發現不同事物的異同情形（Simsova，1982，p.51）。

　　至於比較的類型，又可以分爲「對等性」（Balanced）與「解說性」（Illustrative）等二種。前者是指研究者從事二國以上的比較，比較過程中除了著重單一國家的各項變數、變數間的互動關係與整體間等比較外，亦將兩國對等的各項變數、變數間的互動關係與整體間等作一相對性的比較（如圖3.4所示）（Simsova，1982，p.52）。而後者則是指針對某一問題，作跨國性的比較，稱之爲「解說性」比較（Simsova，1982，p.53）。

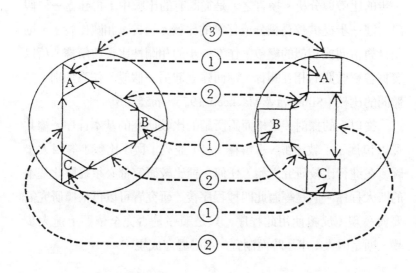

圖3.4: 對等性的比較（Simsova, 1982,p.52）

　　在實際進行比較作業前，研究者必須先行建立「假設」（Hypothesis），作爲比較的依據。就如同並列的程序一般，比較的作業亦須延續相同的標準與原則，求取研究前後一致性，避免研究方向朝往不同的方向，進而導致研究錯誤。所以，在進行比較的研究程序前，研究者必須建立一個明確、清晰的假設，作爲引導比較研究的原則，指引研究至一正確的方向（Simsova & Mackee，1975，pp.54—55）。

如前所述，比較的目的在於求取異中求同、同中求異，然而只具比較的作業是不夠的。因爲比較研究的目的除了上述的目的外，更重的是從中解釋與研究，才是比較研究的內涵。爲了達到此一目的，研究者就必須利用到「相關與擴展比較」。所謂的「擴展比較」乃是延續前述的假設，是一種分析的架構，作爲再進一步的比較與分析。換言之，是從既有的比較中，再建立一種假設，進一步提供較爲細分或仔細的比較。至於「相關比較」，則是針對雷同或相似的變數，作進一步的相關性比較與解釋，藉以發掘各變數間的相互關係，進而建立起另一假設，作爲個別、整體間的比較（Simsova & Mackee，1975，p.55）。

從以上的探討，嚴格而論所謂的比較研究的基本程序，總共可以包涵了「敘述」、「解釋」、「並列」與「比較」等四大步驟。在進行比較研究之始，任何一種比較研究都必須經歷此基本的四大程序。但是經過此四種程序後，研究者可以再根據研究需要與發現，反覆使用此程序，只是順序是否完全依照上述大步驟，則是因人、事、時而制宜，不必墨守成規。

（三）　比較的困難

在比較研究的過程中，亦會遭遇到一些所料未及的問題。根據丹頓的說法，約略可歸類成下列七點，簡略說明如下（Daton，1973；龔厚澤，1980，頁110—113）：

1.資料取得困難

有關於比較研究所需的資料，往往無法同時兼顧全面性、精確性與新穎性，常常是參差不齊的。

2.比較的原則前後不一致

從多國的觀點而言，在比較的過程中，比較的原則或假設，每每是混淆不清或根本未作規定。例如圖書館的「使用」，涵蓋那些項目？

3.對文化、政治等全面性相關的了解不夠

在比較過程中，往往必須從政治、經濟、社會、文化與民族等不同的角度去剖析與解釋，始能探討出實質的原因與結果。但是在比較的研究範圍，常常是跨國性的，所以對一國各方面的整理就常無法深入的了解，進而作一深入性的比較與研究。

4.主觀意識主導研究方向

在社會科學中，如何避免主觀意識，達到中立性的研究，可謂一項難事。所以，如何在比較研究中，儘量保持客觀的態度，去除偏見，亦是將研究導入正確主題中的重要課題。

5.資料的正確性

並非所有的資料，皆是絕對無誤的。因為有些機構、團體，時常有意或無意地，扭曲資料的正確性。所以，資料必須加以辨識與判斷，是一項必備的工作。

6.資料的性質

正如其他學科一樣，比較圖書館學相關的資料，本質上並不具任何的結果、效果與成果。如圖書館的借書量，只能顯示借書的一項數字，但是無法進一步說明這些數字，帶來了那些結果、效果與成果。

7.比較方法本質的缺失

比較方法乃源自社會科學，所以本質上就無法像自然科學一般，透過實際的實驗方法，取得真正客觀的證明或證據。所以，比較研究的結果，或多或少具有一些缺憾。

第四節　比較圖書館學的研究類型

事物的分類大致而言具有三種功用：一、可以了解事物的全貌，以免掛一漏萬、或見樹而不見林；二、可以掌握事物的特徵，辨別類別之間的異同；三、可以提示相關信息，增進行動的效率（吳明清，民80，頁81—2）。研究類型的分類也具有類似的功用，它有助於我們了解某一類型研究的範圍與特徵，辨識研究的取向，掌握研究的目的，了解研究的功用（吳明清，民80，頁22）。比較圖書館學研究的分類，俾益於我們了解比較圖書館學研究的全貌，以及各類比較研究的特徵，使在從事比較圖書館研究工作或閱讀比較圖書館學文獻時，較易掌握重點。

比較圖書館學之研究類型可從不同角度來劃分，其分類深受其他比較學科的影響，特別是比較教育與比較社會學。由於比較圖書館學興起較晚，因而學者在探討其分類時，往往借鑒其他學科之分類，特別是比較教育學。但因學科內涵與特性不同，因而其比較研究之分類並沒有與之完全相同，祇互引其論點支持其看法。由於採用之分類標準不同，各家看法不一，本節茲綜合各家說法論述比較圖書館學之研究類型，以供有心從事比較圖書館學研究者之參考。

一、概　述

　　比較圖書館學之研究類型，各家分法不一，茲就受影響最深之比較教育研究類型、西方學者、大陸及我國研究者之看法來概述比較圖書館學之研究類型。

　1.**比較教育之研究類型**

　　比較教育之研究類型，衆說紛紜，並沒有所謂的標準答案爲其研究分類的典範，且在此也不專門論述其研究類型，因此祇舉一、二例來說明比較教育與比較圖書館學之間之異同點。

　(1)　白瑞地（G. Z. F. Bereday）

　　白瑞地（Bereday，1966）將現代的比較教育研究，分爲兩大類型：一爲區域研究（Area studies），一爲各國或各地區的比較研究。在區域研究中，重視「描述」及「解釋」，他認爲眞正的比較研究自「解釋」開始，而不是從「描述」開始。而在「解釋」過程中，須藉助哲學、經濟學、歷史、自然科學、政治科學、文化學、社會學及心理學等知識。在各國綜合比較研究的類型中，他認爲又可分爲「問題分析法」及「綜合性全面分析法」兩類。所謂問題分析法是以一項問題爲基準，就傳統、政策及爭論問題涉及各國制度的異同及相關。所謂綜合性全面分析法，則以世界性的觀點，論教育與社會的整體關係（林清江，民76，頁44）。

　(2)　林清江（民76）

　　我國教育專家林清江教授綜合各國比較教育研究類型，認爲比較教育的主要研究類型，可分爲問題中心法、社會學分析法、經濟學分析法三種。其所謂的問題中心法是爲建立科學性比較教育研究的問題中心法，如白瑞地（ G. Z. F. Bereday ）之「描述－解釋－併列－比照研判」論說，及霍姆茲（ Brian Holmes ）以批判性的雙元論（ Critical dualism ）爲基本觀念，再根據分析問題的四項步驟（問題的分析、政策的形成、問題的描述及相關因素的確定、預測政策所可能產生的結果）從事比較教育的研究。社會學分析法係研討某一社會中之教育問題和因素，並用其他社會或文化的相關資料，予以解釋。至於經濟學分析法從事有關教育、人力資源及經濟發展的比較研究（林清江，民76，頁37－51 ）。

以上兩者對比較教育研究類型之劃分，著重研究過程中，採用之步驟，與從問題本身、問題本身所處之環境、社會、文化、歷史、經濟等角度從事比較研究。林清江教授是從研究之角度分類，白瑞地除從研究之角度外，也從研究之內容與性質來區分。

2.西方比較圖書館學者對比較圖書館學研究類型的分類

(1) 惠特列（ H. A. Whatley ）

惠特列（ Whatley，1970 ）認爲比較圖書館學研究類型可分爲地理研究（ Geographical studies ）和專題研究（ Thematic studeies ）（ Simsova & Mackee，1975，p.31 ）。

(2) 柯林茲（ D. G. Collings ）

柯林茲（ Collings，1971 ）認爲從比較圖書館學文獻中，以研究的範圍區分，可分爲三種類型：

(i) 區域研究（ Area studies ）

就一特定地區或國家之背景因素、條件來描述、評論分析其圖書館或圖書館的發展情形。如：

Munthe，W.（1939）"American librarianship from a European angle."

Jackson，W. V.（1962）"Aspects of librarianship in Latin America."

Evans，E. J. A.（1964）"A Tropical library services."

（ii）跨國家或跨文化研究（Cross - national or cross — cultural studies）

這種研究類型包括不同國家間某種類型圖書館之比較研究，或是某一圖書館或圖書館事業技術問題之比較研究，如：有關分類編目、圖書館自動化、圖書選擇採訪等問題之研究。如：

Campbell，H. C.（1967）"Metropolitan public library planning throughout the world."

Campbell，H. C.（1960）"UNESCO's national libraries，their problems and prospects：symposium on national libraries in Europe."

Danton，J. P.（1963）"Book selection and collections：A comparison of German and American university libraries."

Plumbe，W. J.（1964）"The preservation of books in tropical and sub—tropical countries."

Library Association（1968）"Five year work in librarianship，1961—5."

（iii）個案研究（Case studies）

針對某一特定國家之某一類圖書館或圖書館發展過程中之主題做深入分析。如：

Carnovsky，Leon（1956）"Report on a programme of library education in Israel."

Martin，Lowell "Library response to urban change：A study of the Chicago public library."（Collings，1971，pp. 494 — 495）

⑶ 湯普森（A. Thompson）

湯普森（Thompson，1972）認爲可區分爲區域研究（Area study）和問題個案研究（Problem case study），若研究範圍超過一個以上區域，則研究可歸爲國際性比較研究（Simsova & Mackee，1975，p.31）。

⑷ 辛索瓦（S. Simsova）

辛索瓦（Simsova，1974）認爲比較研究的類型依其研究重點可區分爲（Simsova，S.，1974，p.53）：

（i）個案研究（Case study）：例如斯堪地納維亞圖書館建築研究。

（ii）比較問題研究（Comparative problem study）：例如斯堪地納維亞地區與熱帶國家圖書館建築之比較研究。

（iii）區域研究（Area studies）：例如斯堪地納維亞圖書館之研究。

（iv）整體性比較研究（Total comparison）：例如斯堪地納維亞與英國圖書館之比較研究。

（v）世界趨勢研究（World trends）：例如自動化與公共圖書館：世界發展趨勢報告。

（vi）全球性比較研究（Global comparison）：例如二十

世紀的圖書館。

辛索瓦（1975；1982）在1975年及1982年論及比較圖書館之研究類型時，又把它歸納為以下四種類型：

（ⅰ）區域研究（Area study）；

（ⅱ）個案研究（Case study）；

（ⅲ）比較問題研究（Comparative problem study）；

（ⅳ）整體性比較研究（Total comparison）。

以上四學者對比較圖書館學研究類型之分類見表3.2 係以比較研究之內容、性質與研究層次深淺來區分，跟比較教育之分類標準略有差異。

表3.2: 比較圖書館學研究分類

學　　者	比　較　圖　書　館　學　的　研　究　類　型
惠特列	地理研究、專題研究
柯林茲	區域研究、跨國家或跨文化研究、個案研究
湯普森	區域研究、問題個案研究
辛索瓦（1974）	個案研究、比較問題研究、區域研究、整體性比較研究、世界趨勢研究、全球性比較研究
辛索瓦(1975; 1983)	區域研究、個案研究、比較問題研究、整體性比較研究

3. 大陸學者對比較圖書館學研究類型之分類

大陸學者吳慰慈、杜元清、蕭力、佟富、林瑟菲、黃學軍都曾為文論及比較圖書館學之研究類型，此外亦有翻譯之作品如：馬秀萍，姜洪良柯翻譯柯林茲之作品。蕭力翻譯辛索瓦（1974）

之作品。但綜觀各家之分類，發現其分類法與西方學者無多大差異，大致源於西方學者之分類或綜合各分類法自成一類。彼此之間並無很大的變化。爲避免重複，僅以吳慰慈、佟富、黃學軍等三人之分類來論及大陸學者對比較圖書館學研究類型的分類。

(1) 吳慰慈（1987，頁16—17）

比較圖書館學的研究課題是多種多樣的，按研究課題的內容和性質，可以區分爲區域研究和問題研究兩大類型。且區域研究與問題研究應該緊密結合，以問題研究爲主。而區域研究是問題研究的前提，問題研究是區域研究的深化。

（ⅰ）區域研究是按照地理區域的劃分，分析研究該區域內所屬國家的圖書館事業狀況。

（ⅱ）問題研究是分析比較兩個或兩個以上國家的圖書館事業，按照比較範圍的大小又可分爲兩個小類：專題比較和綜合比較。所謂專題比較，就是把各國同一類問題並列在一起進行橫向的比較研究，從中找出各國的特點和共同趨勢。所謂綜合比較，是對國際圖書館事業的現狀和趨勢作全面的綜合比較研究。目的在於揭示各國圖書館事業發展的特點和發展趨勢，了解圖書館學與政治、經濟、文化和社會發展之關係。

(2) 佟富（1989，頁44）

佟富論及比較研究之類型時，分爲：

（ⅰ）地區研究：對某些國家或地區的圖書館體制的某些方面或所有方面進行指導性的評論，分析進一步發展的有利因素和不利因素，討論當前所面臨的問題，並提出行之有效的解決辦法。這類研究在比較圖書館學文獻中占主要部分。

（ii）跨國度和跨文化研究：這類研究一般都不對國家圖書館體制進行一般性的描述，而是對兩個或兩個以上國家的某類圖書館或圖書館特殊問題進行考察，如公共圖書館、大學圖書館等。

（iii）專題研究：把各國圖書館的同一類問題列在一起進行比較，如圖書館體制、圖書館法、圖書館教育、圖書館工作程序、以及分類、編目、流通、新科技應用等問題。

（iv）綜合比較：這種比較是對國際圖書館事業的現狀和趨勢作全面的綜合比較研究。目的是揭示各國圖書館理論和實踐的特點與發展趨勢，了解圖書館學與政治、經濟、文化和社會發展之關係。

(3)　黃學軍（1991，頁17）

關於比較圖書館學研究的類型，比較通行的劃分法有四種：

（i）地域研究、實例研究、跨國研究；

（ii）源流研究、借鑒研究、原理研究；

（iii）地理研究、對象研究；

（iv）質的和量的比較研究、靜態的和動態的比較研究、現象的和本質的比較研究。

各種劃分法都從不同角度揭示比較圖書館學的研究類型，但這種揭示尚未充分和全面，還有待今後作更深入探討。

以上三位大陸圖書館學者對比較圖書館學的分類，見表3.3。

表3.3: 三位大陸學者對比較圖書館學的分類

學　　者	比 較 圖 書 館 學 的 研 究 類 型
吳慰慈	區域研究、問題研究(專題比較、綜合比較)
佟富	地域研究、跨國度和跨文化研究、專題研究、綜合比較
黃學軍	地域研究、實例研究、跨國研究； 源流研究、借鑒研究、原理研究； 地理研究、對象研究； 質的和量的比較研究、靜態的和動態的比較研究、現象的和本質的比較研究

4. 國內對比較圖書館學研究類型之分類

　　國內為文論及比較圖書館學研究類型有徐金芬、傅雅秀、陳仲彥等，其對比較研究類型之分類大致以柯林茲及辛索瓦之分類為綱，介紹其研究類型。

　　⑴　徐金芬（民79，頁67—68）

　　比較與國際圖書館學的研究可以區分為三大類：區域研究、個案研究、整體分析。比較研究同樣也可分為這三類。雖然有些學者認為研究一國的圖書館學或解釋一洲圖書館學的區域研究不是比較性的，但它們是比較研究所必要的引導先趨。比較研究並列和分析兩個或更多的區域或個案研究，並列兩國的圖書館學，再加以分析，就能產生兩國間的一個比較性研究。區域研究可探究圖書館學的情勢、時事性話題或主題，如比較兩國的圖書館教育、館員的地位的比較，或是研究館員對於專業化的追求。雖然比較研究通常被認為是跨國家或跨文化的，然而也不需只限於這些範圍，像是美國北方和南方州立圖書館學會的比較研究也應視爲一項比較研究。最難達到的是整體分析的範圍和複雜性，它嘗試分析學科或專業對於全球社會的整體影響，這是學科中的最高點。

(2) 傅雅秀（民81，頁11）

參考辛索瓦（Simsova，1982）將比較研究分爲：

　（ⅰ）地區研究；

　（ⅱ）個案研究；

　（ⅲ）比較問題研究；

　（ⅳ）整體比較。

(3) 陳仲彥（民81，頁289—291）

以柯林茲（Collings，1971）的三類型分法爲例，說明比較圖書館研究類型：

　（ⅰ）區域研究

　（ⅱ）泛國家或泛文化研究

　（ⅲ）個案研究

三類之研究方式，都可以使我們更加了解，熟悉比較圖書館學的內涵，同時也提供一條認識他國圖書館學或圖書館事業的途徑。

由上觀之，臺灣與大陸學者對比較圖書館學研究類型之分類大多參考西方學者之分類，事實上，無論是二類分法、三類分法、四類分法都大同小異，均依其研究範圍的內容、性質與研究的層次來區分。

二、研究類型

　　爲深入了解比較圖書館學的研究類型，我們從文獻中得知有
以上之分類，綜合各家說法，辛索瓦之分類直接指出了研究的範
圍及研究的深淺層次，對從事比較圖書館學研究者提供了很好的
指引，茲以其分類爲綱，詳述其比較研究各類型的定義、研究範
圍、特徵、研究取向及其價值。

（一）　區域研究（Area study）

　　所謂區域研究係研究一個地理區域（Geographical area）之
整個圖書館事業（Simsova，1982，p.12）。此類型研究題目
如：

- ·法國圖書館（Libraries in France）；
- ·從歐洲的觀點看美國的圖書館事業（American
  librarianship from a European angle）；
- ·拉丁美洲圖書館事業的特性（Aspects of librarianship in
  Latin America）；
- ·變動中的蘇維埃圖書館（Soviet libraries in transition）。

　　這類研究佔比較圖書館學之大部份，雖然嚴格來講，區域研
究本身並沒有比較，任何的比較祇是研究者自我價值系統之蘊含
比較，並沒有系統的比較記錄，因此有學者認爲把區域研究包含
於比較圖書館學之研究範圍並不是很合理。如丹頓（J. P.
Danton）提出二個基礎點反駁區域研究是比較研究之研究類
型：一是沒有包含比較；一是必要的描述（Necessarily descrip-
tion）（Simsova，1982，p.13）。他認爲區域研究處理一個國
家，並沒有比較，應屬於不同學科之主題，在德文稱爲
"Auslandskunde"（Simsova & Mackee，1975 p. 32），意爲應屬

於外國圖書館學研究範圍。辛索瓦認為在沒有比較之論點上，他是對的，然而雖然區域研究僅是比較之預備階段（Preparatary stage），但並不能把它從比較圖書館學中排除。至於假定其為必要的描述之論點，丹頓並不對，雖然對初學者而言，他們祇做到描述。然而在描述的過程中他們往往不自覺地會與自己國家之狀況比較，雖然在其文章中並沒有明顯地做比較（Simsova，1982，p.13）。因此就區域研究僅是描述性不能算是比較研究並不正確，因為比較研究可以是分析性，也可以是描述性。且區域研究並不祇是描述性。柯林茲（D. G. Collings）認為所謂區域研究乃是就一特定地區或國家之圖書館發展有決定性之相關背景因素，提供描述性調查研究與評論分析（Collings，1972，p.494）。因此做區域研究時，並不祇是描述，應對就其研究區域進行資料蒐集與相關之解釋。

白瑞地（G. Z. F. Bereday）認為區域研究是比較研究之初步階段，比較研究之順序是區域研究－解釋－並列－比較（Simsova & Mackee，1975 p. 36）。雖然嚴格來講，區域研究並不是真正的比較，但透過區域研究可提供我們對於一個地區或國家圖書館學或圖書館事業整體的認識與有系統的了解，可做為往後個案研究、比較問題研究、整體性研究之基礎。它使研究者從事該地區或該國之圖書館事業之資料蒐集，觀察與圖書館事業有關之各種現象，可提供往後做個案研究、比較問題研究、整體性比較研究之背景知識。

（二） 個案研究（Case study）
所謂個案研究係針對某一特定地理區域或國家之某一圖書館

學或圖書館事業發展之問題做深入的分析（Collings，1970，p.494）。此類型之研究題目如：

- ·美國館際互借與文獻傳遞（Interlibrary loan and document delivery in the United States）；
- ·1988年法國大學圖書館（French university libraries in 1988）；
- ·以色列圖書館教育計劃報告（Report on a programme of library education in Israel）。

至於個案研究之問題，辛索瓦表示用法非常鬆散（loosely），有時表示圖書館事業的一部分，有時表示圖書館員試圖尋求答案之眞正的問題。而圖書館並沒有孤立於所處的環境之外，有時問題並不完全是圖書館的問題，可能與其所處環境之背景因素有關。福斯凱特（D. J. Foskett）認爲問題可分爲兩類：一是不同社會背景圖書館運作產生的問題；一是圖書館事業本身之技術問題。因此從事個案研究時，研究者不可忽視研究區域之重要背景因素。至於問題研究之範圍，可從圖書館之實體（Entity）、部分（Parts）、屬性（Attributes）、活動（Activity）、空間（Space）、或時間（Time）等角度來探討（Simsova，1982，p.14）。

此類研究的價值在於個案研究主題的選擇，對於問題深入研究的程度，及其研究發現之資訊性（Informative）或建議性（Suggestive）之結論（Collings，1971，p.495）。雖然是區域研究中某一問題之深入研究，但也是區域研究蒐集資料來源。因其主題範圍較窄，目標明確，研究者限於時間與經驗往往會選擇此類型做研究，尤其是學生之學期報告，因而此類型研究佔比較研究之一大部份。

（三） 比較問題研究（Comparative problem study）

所謂比較問題研究係針對二個或二個以上地理區域之問題做研究（Simsova 1982，p.15）。此類型之研究題目如：

・德、美大學圖書館圖書選擇及館藏之比較研究（Book selection and collection：A comparison of German and American university libraries）；

・熱帶及副熱帶地區國家之圖書保存（The Preservation of books in tropical and sub—tropical countries）；

・加拿大、美國醫學圖書館網路之比較評論（A Comparative review of medical library networking in Canada and the United States）；

・英國與加拿大大學圖書館管理委員會之管理角色」（The Governing role of university library committees in British and Canadian universities）。

二個或二個以上地理區域並不定要跨國度，雖然大部分是二國或二國以上之比較，但也可比較一國之二個不同地區，或同一地區之二個不同城市。也可不管地理界限，比較二個不同文化環境之圖書館問題，例如「比較倫敦之中國人和日本人之閱讀需求」（The Reading needs of the Japanese and Chinese in London），即所謂跨文化之比較。但是不同時期的社會雖然是二種不同的環境，但比較圖書館學之研究學者如丹頓（J. P. Danton）反對包含歷史的比較，福斯凱特（D. J. Foskett）更是在歷史學家和比較學家之作品中劃清界限（Simsova，1982，p.16）。比較研究研究取向有歷史取向（Historical approach）和科學取向（Scientific approach），歷史取向並不只是不同時期之比較，跨時間之比較與科學研究取向之運用，使比較研究具有如霍姆茲（B. Holmes）在比較教育所提具有預測（Prediction）之功能（Simsova & Mackee，1975，p.33）。

區域研究與個案研究雖然都不是比較研究，但能成為比較研究之必要階段，比較研究通常會先進行研究區域研究與個案研究，然後有系統地進行比較、分析。比較問題研究係研究有關跨國家、跨文化、跨社會的圖書館問題，經由真正的比較、分析，觀察其間之相似與相異處而能加以說明，其價值在於經由解釋、預測、和控制問題來加深圖書館學，增進圖書館事業之發展。

（四）　整體性比較（Total comparison）

整體性比較係比較二個或二個以上環境之整個圖書館事業。這類型研究由於工程浩大，不容易完成，辛索瓦認為學生不應輕易嘗試（Simsova 1982，p. 17）。這類研究是比較研究之最高成就，因此很難發現很好的例子來說明整體性比較研究。這類型之研究題目如：開發中國家與已開發國家圖書館事業之比較，英、日圖書館事業的比較等均是。

由於整體性比較係比較二個或二個以上環境之整個圖書館事業，需要較多的時間觀察、蒐集資料與整理、與其他研究類型之經驗、並試圖對其所研究區域做社會網絡分析，統合圖書館事業之內部問題進行整體比較，是一科際整合之大工程。沒有深厚之圖書館學素養是不容易完成的，因此這類研究之文獻至目前為止並不多。整體性比較研究之價值除尋求對圖書館系統或問題之完整了解和正確解釋外，借鑒參考與意見交換，也是其目的之一，其對圖書館學之最大貢獻乃在於促進世界各國圖書館事業之了解和國際合作，增進圖書館事業之發展。

三、研究發現與建議

由上觀之，一國之內的比較亦屬於比較圖書館學之研究範圍，比較圖書館學研究不一定要做跨國或他國圖書館事業之研究，可從自己本身所處之環境先做比較。薛爾斯（Louis Shores）也主張我們必須從自己互相比起，個人館員互比，在自己的社區、州、區域、國家做圖書館比較，最後做全世界之比較（傅雅秀，民81，頁11）。因此就比較研究的單位而言，地理區域並不一定以國家為單位，比較研究除以國家為單位外，當然也可以把民族、文化圈、社會體制、國內的省縣等做為單位來比較。現今大部份比較圖書館學之研究文獻大都以國家為單位進行比較研究，因此有學者提倡圖書館學的國際與比較的研究（International and comparative study in librarianship），但從各學者對比較研究之類型之定義與分析看來，比較研究並不一定以國家為單位，今後以民族、文化圈、社會體制、國內的州、省或縣為單位做比較研究，也是值得提倡研究的領域。

綜觀比較圖書館學之研究文獻，發現其中大部份多為以外國圖書館學為對象之描述性文章，只有極少數是真正的比較性作品。以外國圖書館學研究做為比較圖書館學研究之初步階段或其中的一部份，已受到一般人的支持。因此把外國圖書館事業之研究涵蓋在比較圖書館學中已受到認同，甚至許多學者建議把區域研究當成是比較研究之初步。然而區域研究涉及語言、社會、歷史、政治、經濟、文化等因素影響，非短時間可以完成，因此建議想從事比較圖書館學研究者，從個案研究開始，累積同一區域之個案研究後，再從事區域研究，會比較紮實容易，然後再把研究範圍擴大至比較問題研究，最後再進行整體性之比較研究。以漸進的方式來提高研究層次，必能增進其研究的深度與層次，提昇比較圖書館學之發展。

　　從事比較圖書館學的研究，首先應將被比較區域之圖書館狀況徹底了解才行，爲此往往也會運用歷史的研究，社會學的研究來了解各國圖書館狀況，但是這些研究方法都是比較研究的補充，不管從事何種類型之研究，比較圖書館學主要之研究方法還是運用比較研究法。其研究對象，涵蓋圖書館學的全部領域，不限於特定的分野。其最後使命是統合圖書館學各領域所做的比較研究，進行整體比較。然而在實際的研究上，一開始就要把圖書館全領域做比較研究是很困難的事情，應從圖書館某方面做比較研究開始，然後把各方面之比較研究累積起來做整體性比較，然而做整體比較相當費時費力，爲避免個人國籍主觀意識太濃，不夠客觀與公平，建議以共同研究的方式進行，不但可增進研究速度，又可集思廣益，增進研究成果，提昇研究的品質與層次。

　　總之，比較圖書館學研究的比較時段和比較教育一樣是以現在爲中心定點，從空間上做橫向的水平比較（Horizontal comparison），把歷史上兩個不同時代的圖書館狀況做縱向的垂直比較（Vertical comparison），應該是圖書館史方面的研究，比較圖書館學研究雖然會運用歷史法輔助來做研究，但其主要目的是以科學的研究方法來描述、解釋、並列、比較，雖還未能達到預測，但主要是著重同時期與未來（Foreward looking）之圖書館事業發展。因此其比較時段是以現在爲中心點做比較研究，較少做不同時代之比較研究。因此，簡而言之，比較圖書館學是以圖書館學之全部領域與其相關之領域爲對象，以現在爲定點比較兩個或兩個以上區域之圖書館事業，並將外國圖書學也涵蓋在內的一門學科。

第五節　結　　語

　　比較圖書館學不能只依靠單一的方法去研究圖書館的問題或現象，比較圖書館學應從運用圖書館學和其他相關學科所採用的研究方法，如：調查法、實驗法、觀察法、歷史法、個案法、作業研究、統計法、評鑑法、內容分析、得懷術及文獻研究等。經由這些方法蒐集到資料後，再經過比較的階段——敍述、解釋、並列與比較。從比較的過程之中探求異同之處，以茲借鑒與參考。由於方法涉及研究者主觀意識的引導，所以，如何在研究過程中力求客觀與中立，爲比較圖書館學研究不可或缺的要件，否則易流於偏頗與主觀，有違比較研究的目的。

　　比較圖書館學主要分成四種研究類型，即：區域研究、個案研究、比較問題研究及整體性比較研究。由比較圖書館學之研究文獻發現，大多數作品均爲以外國圖書館學爲研究對象之描述性文章，只有極少數是眞正的比較性作品。把外國圖書館學研究涵蓋在比較圖書館學中已受到認可，有部分學者建議，想從事比較圖書館學之研究者，可從個案研究開始，累積同一區域之個案研究後，再從事區域研究，會比較紮實容易。然後再把研究範圍擴大至比較問題研究，最後再進行整體性之比較研究。不過做整體性比較研究相當費時費力，爲避免個人主觀意識太濃，建議以共同研究的方式進行，以求客觀。不僅可增進研究速度，又可集思廣議，增進研究成果，提昇研究的品質與層次。

參 考 書 目

王文科著（民79）**教育研究法** 增訂初版 臺北市:五南圖書出版公司。

沖原豊著,徐南號譯（民78）**比較教育學** 台北市:水牛。

沖原豊著，徐南號譯（民80）**比較教育學** 台北市:水牛。

佟富（1989）「比較圖書館學綜述」**圖書館學通訊** 2:40-45。

吳明清（民80）**教育研究:基本觀念與方法之分析** 台北市:五南。

吳慰慈（1987）「論比較圖書館學的特徵、目的、內容、和方法」**大學圖書館通訊** 1:14-19。

吳彭鵬譯（1987）**圖書館學研究方法--技術與闡述** 布沙與哈特原著 北京:書目文獻出版社。

林清江等著（民76）**比教教育** 5版 台北市:五南。

林清江主編（民79）**比較教育** 7版 台北市:五南。

林瑟菲（1989）「國際圖書館學與比較圖書館學」**圖書館工作與研究** 1:22-25。

周啟付（1984）「怎樣研究比較圖書館學」**四川圖書館學報** 21:9-13。

馬秀萍、姜洪良編譯（1989）「比較圖書館學與國際圖書館學」**圖書館學刊** 4:6-7。

倪波、荀昌榮編（1981）「比較圖書館學」在:**理論圖書館學教程**

天津:南開大學頁301-330。

徐金芬（民78）「比較與國際圖書館學英文期刊選介」**圖書館學與資訊科學** 15(2):215-220。

徐金芬（民79）「比較與國際圖書館學研究方法之探討」**圖書館學與資訊科學** 16(1):60-79。

黃學軍（1991）「十年來我國比較圖書館學研究述評」**圖書館** 6:14-19。

陳仲彥（民81）「比較圖書館學概述」**社會教育學刊** 21:283-299。

傅雅秀（民81）「比較與國際圖書館學概說」**國立中央圖書館館刊** 新25(2): 3-22。

楊國樞等編（民78）**社會及行爲科學研究方法** 上冊 台北:東華書局。

龔厚澤譯（1980）丹頓原著**比較圖書館學概論** 北京:書目文獻出版社。

Busha, C. H. and S. P. Harter （1980）*Research methods in librarianships: Techniques and interpretation.* New York: Academic Pr.

Collings, D. G. （1971）"Comparative librarianship." In Kent, A. & Lancour, H. （eds.）*Encyclopedia of Library & Information Science* v.5 New York:Marcel Dekker, pp.492-502.

Krzys, R. （1974）"International and comparative study in librarianship, research methodology." In: *Encyclopedia of Library and Information Science* v.12. pp. 325-343. New

York: Marcel. Dekker.

Krzys,R. （1983）"Research methodology: a general discussion."
    In: R. Krzys & G. Litton （end.）*World l: brarianship*. New
    York: Marcel Dekker, Inc., P.27-43.

Powell, R. R. （1985）*Basic research methods for librarians.*
    Norwood, N. J.: Ablex Pub.

Simsova, S. （1974）"Comparative librarianship as an academic
    subject."*Journal of Librarianship* 6(2):115-125.

Simsova, S. & Mackee, M. （1975）*A handbook of comparative
    librarianship.* rev. ed. London:Linnet Books & Clive Bingley.

Simsova, S. （1982）*A primer of comparative librarianship.*
    London: Clive Bingley.

第四章 個案研究

　　個案研究（Case study）由於主題、研究類型等先天上的差異，在進行解讀與比較時即有所限制，故本章針對這些限制將所收錄的個案依研究類型區分爲兩大類：學位論文與期刊文獻，以增加比較的可行性。其中學位論文方面皆爲國內圖書館界人士之著作，期刊論文則以國外期刊上所發表的文獻爲主。

　　本章共分七節，前六節逐一介紹個案之研究對象與目的、研究方法與比較項目、研究之建議與結論，最後則從比較圖書館學的研究觀點提出對該研究及未來研究之建議與討論。第三節與第六節另就學位論文與期刊文獻兩種類型研究個案列表比較，比較的項目包括：研究對象、研究方法、研究步驟、比較項目、比較方式、研究類型、建議。第七節則對個案研究提出綜合性討論。

第一節 個案一
美英兩國國家圖書館體制與功能之比較研究

　　該文爲李淑玲女士於民國75年，獲得台灣大學圖書館學研究所碩士學位之論文，並於民國79年由漢美圖書公司收錄爲「圖書館學與資訊科學論文叢刊」第一輯，第10號作品。

一、研究對象與目的

　　該研究以美國三大國家圖書館：國會圖書館、國立醫學圖書館、國立農業圖書館，及英國之大英圖書館爲研究對象（李淑玲，民79，頁7）。

　　主要研究目的有二（李淑玲，民79，頁4）：

1. 利用比較圖書館學的方法，探討美國與英國國家圖書館在體制與功能的相同與相異處，並分別就兩國的社會、經濟、政治、法律等背景因素，分析形成其體制與功能的原因。

2. 根據上述比較研究的結果，歸納出發揮國家圖書館重要功能所應具備的條件，以作爲我國在加強國家圖書館服務方面的參考。

二、研究方法及比較項目

　　作者於第一章第四節中指出：本論文利用比較圖書館學的方法進行研究，以歷史研究法蒐集美國、英國之國家圖書館的背景資料，敘述其成立背景及沿革；再就其現行之組織、地位、作業內容與功能作深入的個案分析；接著利用比較法對於兩國國家圖書館的體制與功能進行比較分析（李淑玲，民79，頁8）。

　　該研究首先說明美國三所國家圖書館的發展簡史、現行之組織與地位、作業與功能，接著介紹英國大英圖書館之成立背景、該館前身機構之簡史、現行之組織與地位、主要的作業與功能，然後再並列對照美英兩國國家圖書館的體制與功能，比較其異同，分析形成其差異的背景因素，最後歸納出發揮國家圖書館重要功能所應具備的條件。

　　比較的項目在於圖書館之體制與功能。體制方面包括以下細

則：行政隸屬、經費來源、人力資源、地位、體系；功能方面則
包括：典藏國內外文獻的相關功能、書目活動的相關功能、讀者
服務的相關功能、在國內圖書館專業發展方面的領導功能、其它
功能等。

三、結論與建議

該研究之成果為驗證作者的兩大假設（李淑玲，民79，頁
195）：

1. 各國國家圖書館的體制與功能，由於發展背景的不盡相
   同，而有共同與差異處。
2. 在民主法治國家，政府在國家圖書館立法或經費方面的支
   持，對於國家圖書館的體制或功能有重要的影響。

除驗證假設外，作者更歸納出七大結論（李淑玲，民79，頁
195—197）：

1. 國家圖書館在一國圖書館系統中占有樞要的地位，其基本
   任務為典藏國家文獻、提供書目資訊服務、擔任全國的書
   目中心、規劃或贊助各種合作網路、率先進行各項圖書館
   技術的研究發展、擔任全國圖書館專業發展上的領導單
   位。
2. 呈繳功能是徵集國家出版品最有效的方法。
3. 國家圖書館應負責規劃或協調全國的館藏合作發展。
4. 因其豐富的館藏、專精的編目人員，由國家圖書館擔任編
   目資源中心，具有實質的效益。
5. 國家圖書館的館藏為保存資料的目的起見，以提供館內研
   究參考為主。

6. 相關法案的制定對於確立國家圖書館的地位、典藏國家文獻及領導等各種重要功能有直接的效果。

7. 經費是推動計劃的主要力量，財政的支持與該國的經濟狀況、政府官員對圖書館重要性的認知程度、及國家圖書館行政上的隸屬攸關。

該論文對未來研究的建議有二（李淑玲，民79，頁199）：

1. 研究日本、德國、法國等先進國家之國家圖書館的體制與功能，探討影響其體制與功能的背景因素。

2. 我國國家圖書館體制與功能的研究。

四、討　論

　　該研究除詳細描述四所圖書館之成立與發展簡史、現行組織與地位、現行作業與功能外，並逐一以文字與表格清晰地列出其比較結果，對了解兩國國家圖書館體制與功能之異同處極有助益。美中不足之處為，比較圖書館學著重從兩國的政治、經濟、社會、文化、地理、歷史等背景因素來分析產生歧異或相似點之原因，該論文強調政治、歷史對形成四所圖書館制度與功能的影響，忽略其他背景因素。然而，卻又將美國三所國家圖書館與大英圖書館功能上的差異歸咎於經濟、地理、行政隸屬、歷史淵源、立法等因素（李淑玲，民79，頁192），並且未加以解釋，恐有失比較圖書館學的精神。

　　該研究之主題為美英兩國國家圖書館之比較，但所列舉的比較對象在美國方面包括了三大國家圖書館，在英國方面則只選擇大英圖書館，雖然作者在研究範圍一節中解釋國立蘇格蘭圖書館與國立威爾斯圖書館之服務對象分別限於蘇格蘭、威爾斯兩地，所典藏的文獻也限於該地區的出版品，不能算是國家圖書館（李淑玲，民79，頁192），然而根據史特芬斯（Stephens，1992）"國家圖書館"一文的記載，國立蘇格蘭圖書館、國立威爾斯圖書館與大英圖書館並列爲三大國家圖書館，而且，此二圖書館與大英圖書館、劍橋大學圖書館、牛津大學圖書館同爲英國出版品的五所法定呈繳圖書館，因而所典藏的文獻不應只限於該地區的出版品。在美國，國會圖書館乃唯一的出版品呈繳單位，國立農業圖書館與國立醫學圖書館尚且不是呈繳機構。比較圖書館學比較程序中，著重比較的對等性，該研究似乎忽略了平衡比較的重要性，而太偏重美國國家圖書館。

　　基於上述的缺憾，建議在進行未來研究時，除了應將目標專注於其他先進國家之國家圖書館外，更應將影響其體制與功能背景因素之探討擴大到經濟、社會、文化、地理等層面，以求更透澈的了解。反之，進行我國國家圖書館體制與功能之研究時，也應從大環境對國家圖書館的影響著手。另外若能注意比較對象的完整性與對等性，應該是更合理的比較研究。

第二節　個案二：美國圖書館學會與英國圖書館學會對圖書館事業發展之比較研究

　　本文爲陳敏珍女士獲得台灣大學圖書館學研究所碩士學位之論文，並於民國79年由漢美圖書公司收錄爲「圖書館學與資訊科學論文叢刊」第一輯，第9號作品。

一、研究對象與目的

　　該研究針對美國圖書館學會及英國圖書館學會進行比較研究。

　　該研究擬達成以下目的（陳敏珍，民79，頁13—14）：

1. 研析美國圖書館學會與英國圖書館學會之成立緣起、宗旨、發展沿革、組織結構、會員、經費等概況。

2. 研析美國圖書館學會與英國圖書館學會在圖書館立法、專業教育、專業資格、國際活動、館員待遇及出版活動之主要發展與貢獻。

3. 比較兩學會在組織（包括組織結構、會員、經費）及專業活動（包括圖書館立法、專業教育、專業資格、國際活動、館員待遇、出版活動）之特色，並就其相同點與相異點進行解釋分析。

4. 根據本研究比較分析所得，歸納出全國性圖書館學會在推動專業發展方面適切之途徑，以作為中國圖書館學會之參考。

二、研究方法及比較項目

　　該論文應用比較圖書館學的方法進行研究，首先以歷史法蒐集相關文獻，探討美國圖書館學會與英國圖書館學會之成立緣起、宗旨與歷史發展；其次針對兩學會之組織與專業活動進行個案研究，最後運用比較法對兩學會之組織與專業活動做比較分析（陳敏珍，民79，頁15）。

　　主要的比較項目包括組織體制與專業活動。組織體系方面，就學會與其內部或外部單位之相互關係討論，而不探討這些單位之個別組織結構，比較的項目包括：行政體系、總會、會員、經費等。專業活動方面，就立法活動、專業教育、專業資格、國際活動、館員待遇、出版活動等項進行討論。至於兩會的成立緣起、宗旨與發展沿革等，僅加以介紹，不列爲比較項目（陳敏珍，民79，頁16）。

三、結論與建議

作者歸納出美國圖書館學會、英國圖書館學會在組織與專業活動方面的相同及相異處，相同處包括（陳敏珍，民79，頁269－271）：

1.皆有健全及相似的組織結構。

2.具有獨立的總會及專職人員。

3.設有圖書館，提供學會與圖書館專業有關的資料。

4.對會員資格均未加以限制。

5.設有專責單位負責專業活動的推動，或設立數個單位兼辦有關事項。

6.積極採行遊說方式，促使圖書館法及其相關法規有效訂立與實施。

7.在專業教育方面，均提倡圖書館學正規教育。

8.在提昇館員地位與改善館員境遇方面，兩學會均透過以下兩途徑達成——明訂圖書館專業人員之基本條件（ALA規定爲 Master of Library Science，MLS；LA規定爲 Associate of the Library Association，ALA）、重視專業人員待遇問題，實施館員薪資調查，並訂立館員薪資合理範圍。

9.有系統地出版多種圖書館專業圖書與期刊。

相異處包括（陳敏珍，民79，頁271—274）：

1.美國圖書館學會組織比英國圖書館學會組織更有規模。

2.會長產生的方式不同。

3.美國圖書館學會分會之自主性較高。

4.美國圖書館學會之會員類型較多。

5.美國圖書館學會各項活動之首要經費來源爲出版品收入，英國圖書館學會則爲會費收入。

6.在立法活動方面，美國圖書館學會設有立法委員會及華盛頓辦事處等，英國圖書館學會則未設立專責單位統籌規劃。

7.專業教育方面，美國圖書館學會自1920年代起實施認可制度，1951年以後僅以圖書館學碩士教育計劃爲評鑑對象，至今仍實施該制度，並以1972年之認可標準作爲評鑑依據，英國的課程審核制度則以個別課程爲主體。

8.英國自1885年至1985年止，曾實施專業考試制度，美國則無。

9.美國圖書館學會明訂碩士學位爲圖書館專業人員必備的條件，但對專業人員不審核個人資格，英國則實施專業註冊制度，並訂立明確的專業資格授予辦法。

10.在國際活動方面，美國圖書館學會分別於1947、1966與1978年訂定國際活動發展政策，英國圖書館學會則未訂立較具體之政策。

11.爲提高館員之待遇，美國圖書館學會重視對館員薪資做定期調查，英國圖書館學會則積極與工會連結，以透過工會的力量爲館員爭取合理待遇。

12. 為加強學會刊物之出版，英國圖書館學會於總會內另設
　　立一獨立的出版公司，採取較商業化的經營方式，美國
　　圖書館學會出版品，由設於總會內之出版服務部負責編
　　輯與出版事宜。

該論文於文末提出對未來研究的建議：

1. 研究美國圖書館學會與英國圖書館學會之其他活動。

2. 研究美、英專門圖書館學會（ Association of Special
　 Libraries and Information 、 Association of Special
　 Libraries and Information Bureaux ）。

3. 研究其他國家圖書館學會。

4. 研究我國圖書館學會。

四、討　論

　　本書第三章曾提及，比較圖書館學研究步驟中，第三、四項
分別為並列與比較，前者意指根據某種標準或原則，忠實地將資
料逐一列舉、展開與敘述，其目的在於促使研究者，經由並列的
工作，從中發現可以比較的項目、觀念與假設，作為比較的事前
準備與籌備工作。後者則是著重分析比較項目中的異同點，並提
出說明與解釋。然而該研究雖提出敘述、解釋、並列、比較等四
個研究步驟，卻只做到並列的程度，使得比較一環仍是以敘述事
實為主，大部份項目並未針對其差異性與相同性提出解釋，故在
此呈現弱勢。因此建議除並列事實，使其異同性更清晰地展現
外，也能從政治、經濟、社會、文化、地理、歷史等大環境因素
來解釋兩國圖書館學會各個異同點的產生原因。

　　在研究範圍中，作者宣告對兩學會之成立緣起、宗旨及發展

沿革等方面，僅作介紹，不列爲比較項目（陳敏珍，民79，頁
14），但學會之成立緣起與宗旨都可能是影響兩個學會組織體制
及活動的重要因素，因此若能列入比較項目，對解釋二者的異同
性產生的原因背景應有所助益。

做爲我國圖書館學會發展之借鏡，這些都是極重要的研究課
題，建議未來進行相關研究時，不論在本國或外國方面，都應著
重產生問題、問題解決方案之因素分析，以確實掌握可茲效法、
防範未然之處。

第三節　個案三：
兩岸圖書館學教育之比較研究

該文爲蔡金燕女士於民國82年獲得中國文化大學史學研究
所碩士學位之論文。

一、研究對象與目的

該研究以海峽兩案（大陸與臺灣）之圖書館學教育爲研究對
象。

主要的研究目的有二（蔡金燕，民82，頁4）：

1. 利用比較圖書館學的方法，探討海峽兩岸（大陸與臺灣）
   圖書館學教育在歷史發展學制層級專業課程圖書館學與資
   訊科學分合的現狀，及其它方面的綜合比較。並分別就兩
   案的社會經濟、政治、文化、法律等背景因素，分析形成
   其圖書館學教育現狀的原因。

2. 根據上述比較研究的結果，提供兩岸圖書館學教育發展的

經驗爲彼此的借鏡，並進而通過兩岸圖書館學界人士的共
同的努力，在不久的將來能建立一個具有中國特色的，且
發達的圖書館學教育體系。

二、研究方法及比較項目

作者在第一章第三節中說明，該論文以比較圖書館學中的歷
史法與個案法配合比較法進行研究。首先以歷史研究法蒐集相關
文獻，探討兩岸圖書館學教育之歷史發展；其次針對兩岸圖書館
學教育的學制、課程、圖書館學與資訊科學間分合的情況等進行
個案研究；最後運用比較法對兩岸圖書館學教育做一結構性的比
較分析（蔡金燕，民82，頁6）。

比較的項目有以下各項：海峽兩岸（大陸與臺灣）圖書館學
教育在歷史發展（包括圖書館事業發展概況、圖書館學校簡介
等）學制層級（包括高等教育、中等教育等）專業課程（包括課
程標準、課程結構、研究所課程、大學部課程等）圖書館學與資
訊科學分合的現狀（包括系名分析、學科歸屬、資訊科學教育概
況、未來趨勢等），及其它方面的綜合比較（蔡金燕，民82，頁
4）。

三、建　議

作者在文末針對海峽兩岸在圖書館學教育的交流合作，提出
一些建議。

　1.在交流合作的原則方面：

　　1）要有實踐、實事求是的精神，講究實際、多幹實事。

　　2）要求同存異、先易後難、行遠自邇、截長補短。

3）要有互信、互尊、互惠的態度與原則。

4）要有「文化歸文化」的原則，「與人爲善」的誠意。

2.在交流合作的範疇方面

應包括圖書館學與資訊科學教育的任一範疇。

3.在交流合作的組織方面

由兩岸及海外學者專家共同合作，組織一個兩岸圖書館界
可進行實際交流合作的組織。

4.在交流合作的具體工作方面

1）定期舉行學術研討會。

2）交換教授。

3）交換學生。

4）合作辦理訓練班或研習會。

5）圖書館學與資訊科學專業出版品及教科書的交換與共
同編纂。

四、討 論

　　本論文的架構十分完整，從我國早期圖書館學教育歷史介
紹，到發展現況、學制、課程、圖書館學與資訊科學分合的現狀
等，每個章節除個別描述兩岸的狀況、制度外，更加以明列圖、
表，說明其異同處。第七章尚對圖書館學相關專業領域、圖書館
學系的分組、管理體制結構等十三項進行綜合比較，就比較圖書
館學中的比較問題研究來說，是極清晰、完整的研究。然而，在
兩岸圖書館學課程的比較方面，作者自述因資料蒐集不易，且兩
岸的圖書館學及其相關研究所不少，也都沒有一定的課程標準，
因此只以兩岸圖書館學教育重鎮──大陸的北京大學信息管理系

圖書館專業碩士研究所，及臺灣的國立臺灣大學圖書館學研究所的課程進行比較（蔡金燕，民82，頁142），在大學本科專業課程之比較也是相同的狀況，筆者認爲這樣的比較恐怕稍嫌狹礙，且容易做出有所偏差的結論，以臺灣的圖書館學研究所課程爲例，作者亦認爲現存的四個研究所在課程必修科目方面幾乎都沒有相同的，彼此的差異很大（蔡金燕，民82，頁123）。因此建議未來若有相關的研究，應將比較的範圍擴大，如此方得見其全貌。

另外，在大陸圖書館學課程概況方面，研究所部份只針對北京大學信息管理系圖書館學專業碩士進行介紹，大學本科方面，則介紹北京大學信息管理系圖書館學專業本科、北京大學信息管理系科技情報專業本科、武漢大學圖書情報學院專業本科課程，這在大陸十六所圖書館學與情報學相關研究所、五十個高校圖書館學與情報學專業教育機構的總數中（蔡金燕，民82，頁54—59），只佔極小的比例；相較之下，台灣四所研究所、四個大學圖書館相關科系的課程都被詳細的羅列比較，作者似乎忽略了比較圖書館學研究中的對等性原則，使得兩地的研究呈現不平衡的現象。因此建議未來進行相關研究時，應加強對大陸方面圖書館學課程資料的蒐集與整理，如此才算符合對等性原則，若因學校衆多資料蒐集困難，研究所方面可先依授與學位的差異、大學本科方面可依爲綜合大學、高等師範院校、專科行高等院校等，區分爲數類，再選出具代表性之學校進行比較。

以上三個個案研究的比照，見表4.1。

表4.1: 三個中文個案研究比照表

研究個案 項　目	美英兩國國家圖書館體制與功能之比較研究 （李淑玲）	美國圖書館學會與英國圖書館學會對圖書館事業發展之比較研究 （陳敏珍）	兩岸圖書館學教育之比較研究 （蔡金燕）
研究對象	美英兩國之國家圖書館	美英兩國之圖書館學會	海峽兩案(大陸與臺灣)之圖書館學教育
研究方法	比較圖書館學的方法之歷史法、個案探討與比較分析	比較圖書館學的方法之歷史法、個案探討與比較分析	比較圖書館學的方法之歷史法、個案探討與比較法
研究步驟	敘述、解釋、並列、比較	敘述、解釋、並列、比較	敘述、解釋、並列、比較
比較項目	美英兩國國家圖書館之體制與功能	美英兩國圖書館學會之組織體系與專業活動	兩岸圖書館學教育之歷史發展兩岸學制、課程、圖書館學與資訊科學間分合的情況
比較方式	文字敘述輔以比較表格	文字敘述輔以比較表格	文字敘述輔以比較表格
研究類型	比較問題研究	比較問題研究	比較問題研究
建　議	加強對環境背景因素對國家圖書館之影響 增列英國國立蘇格蘭圖書館與國立威爾斯圖書館之比較，以求其對等性	除並列異同處外，加強解釋其產生原因 將兩學會之成立源起與宗旨亦列入比較項目	加強大陸方面課程的介紹，以求更完整與研究的對等性

第四節　個案四：
美英圖書館與資訊科學教育之比較研究

McCrossan，John A.（1989）Schools of library and information science in the United States and the United Kingdom：a comparison. *Journal of Educational Media & Library Sciences* 26(4)：316—324．

一、研究對象

　　該研究以美國、英國之圖書館學與資訊科學專業教育爲研究
對象。

二、研究方法及比較項目

　　該研究使用歷史法對美英兩國的圖書館學與資訊科學教育的
過去、現在進行描述，並比較其異同處。

　　該研究比較的項目包括：核心課程、專業圖書館員的標準與
專業圖書館員產生的途徑、美英兩國圖書館學校的發展歷史、全
國性圖書館學會（主要是指ALA與LA）對圖書館教育的影響、
美英兩國圖書館學校之現況。

三、結　論

　　在課程方面，美國與英國大部份的圖書館學校在基礎、核心
的課程都相去不遠，包括：參考與資訊服務、技術服務、行政管
理、讀者需求、館藏發展等。高級的課程則在兩國都強調圖書館
與資訊服務方面，例如，自動化服務、殘障讀者或其他特殊讀者
群的服務（McCrossan, 1989, pp. 316—317）。

　　在專業館員的標準方面，美國圖書館學會（ALA）因受強
生（A. Johnson）與威廉森（C. C. Williamson）建議的影響，自
1926年起實施圖書館學校的評鑑與認可制度，甚至自1951年開
始，只認可有圖書學碩士學位的館員，因此大部份的館員都培訓
自圖書館學研究所；英國的情況則有所不同，英國圖書館學會（
LA）對專業館員的資格認可自有一套嚴格的標準，而對圖書館

員的需求大多由多元技術學院（Polytechnics）及學院（College
）來滿足，同時英國對特殊的工作經驗要求也較高（
McCrossan，1989，p. 317）。

　　美英兩國圖書館學校的發展歷史也不盡相同，美國早年由大
型圖書館提供學徒式的訓練，以培養圖書館員，直到1887由杜
威（M. Dewey）在哥倫比亞大學創立第一所圖書館學校，才有正
式的圖書館學教育機構。英國第一所圖書館學校是1919年設立
於倫敦大學，比美國晚了三十餘年。作者解釋兩者產生差異的原
因在於美國的大學在傳統上就扮演專業訓練的角色，且在美國教
育機會是非常均等的；歐洲則不同，傳統的歐洲大學就是爲富人
與菁英份子而設立，而且目的是訓練他們取得在社會上公認的地
位（McCrossan，1989，pp.318－319）。

　　美國圖書館學會在圖書館教育方面，著重對圖書館學校的評
鑑與認可的業務上；英國圖書館學會則是關注對館員的資格認
定，換言之，美國圖書館學會負責爲圖書館學的品質把關，而英
國圖書館學會則用考試與論文發表狀況來控制館員的執照與資
格（McCrossan，1989，pp.319－320）。

　　1987－1988年間，全美共有66所美國圖書館學會認可的圖
書館學校，且都是碩士班以上程度的研究所。有些不被認可的研
究所則是圖書館學與資訊科學教育學會（Association for Library
and Information Science Education）的會員，他們都期望未來能
被美國圖書館學會認可。英國專業圖書館學方面的道路至今仍是
"單門"（Uniportal）的，即是唯有通過英國圖書館學會的資格考
試一途，但其圖書館學教育在大學裡的層次則不同於美國，而是
從大學部、碩士班、博士班都同時存在的。

該研究最後總結兩國圖書館學教育的主要有兩大問題：經費的問題、將資訊科學與自動化整合到傳統圖書館學教育的問題。

四、討　論

該研究未將並列的狀況以圖表顯示之，因此較不清晰，且文中過於著重敘述與解釋事實，對並列與比較的部份著墨不多，是其疏漏之處。另外，可能由於作者立場的原故，論述過程與內容多偏重美國的資料，英國方面的篇幅相對的過少，影響比較圖書館學中的對等性原則。

第五節　個案五：
中美圖書館與資訊科學教育之比較研究

Liu，Ziming（1992）A Comparative study of library and information science education ： China and the United States・*International Information & Library Review* 24 (2)：107—118.

一、研究對象與目的

該研究以中國、美國之圖書館學與資訊科學教育為研究對象。

研究的目的在於學習彼此的長處，以改進缺點，並促進國際間更深層的認識，該文獻更希望藉此使人們更了解中國的圖書館與資訊科學教育（Liu，1992，p.108）。

二、研究方法及比較項目

該研究先以個案法介紹在中國方面，圖書館學與資訊科學教育的歷史與現況，再使用比較法中的並列原則，敘述中國、美國圖書館學與資訊科學教育方面的異同處，最後分析產生差異的原因。

比較的項目包括：兩國圖書館教育的起源與發展、規模與結構、課程、教師與學生。

三、結　論

兩國圖書館教育的起源與發展方面，美國早在1887年即由杜威於哥倫比亞大學建立第一所圖書館學校，1926年第一個圖書館學研究所也在芝加哥大學誕生。中國早期的現代圖書館學教育受美國的影響極深，韋棣華（M. E. Wood）女士所創設的中國第一所圖書館學校——文華圖書館學校之課程，即是遵循哥倫比亞大學的模式。到了50年代，因為中國將注意力轉向蘇聯，所以圖書館學也偏向蘇聯的模式。在這期間，美國的圖書館教育著重文獻學與資訊科學，相對的中國在這方面的課程則很少，這樣的情況直到80年代才徹底改觀。從1978年起，中國圖書館學與資訊科學教育展迅速的發展，圖書館學校的數量從1978年的兩所，增加到1985年的47所，到了1980年的末期，更已接近70所；在美國的局面恰好相反，自1978年起，則陸續有圖書館學校關門，並已形成骨牌效應（Liu，1992，pp.110—111）。

在教育制度的規模與結構方面，1978年以前，中國只有大學階段的圖書館教育及兩到三年的特別課程，晚近則發展出較正式的教育系統，包括有：兩到三年的特別課程、四年的學士課程、兩年的graduate diploma 課程、三年的碩士班及博士班課程，約有10所圖書館學校設立研究所。美國約有60所圖書館學校設有研究所課程是經圖書館學與資訊科學教育學會（ALISE）認可，其中約有20所並設有博士班。兩國在教育結構上的差異是美國的圖書館課程大部份都是在研究所，但在中國，大學部的圖書館教育仍是居主導地位的（Liu，1992，p.108）。

　　該研究在課程方面主要以中國的武漢大學、中山大學，及美國的加州大學柏克萊分校、伊利諾大學香檳校區之圖書館學校的課程進行比較分析，主要的差異有以下四點（Liu，1992，pp.114—115）：

1. 中國對圖書館學（Librarianship）與資訊科學加以區隔，美國則結合二者。
2. 在蘇聯，中文的課程在圖書館學與資訊科學方面包括哲學、政經研究與外國語。但在美國，就算博士班也沒有外國語的課程要求。中國不論大學部或研究所的學生都被要求修外國語（通常是英文），更甚有第二外國語的課程要求。
3. 美國開有各類型圖書館課程，例如，專門圖書館、公共圖書館，中國則將此全部併入圖書館學導論的課。此外，像兒童文學、成人通俗文學等課程在中國是很少見的。
4. 學分制度方面，美國各學校的要求不一。中國則依照中華人民共和國學位授與條例（The Regulations of Granting Academic Degrees of the People's Republic of China）規定，碩士學位通常要修畢36學分方可畢業。

中國在1980年代初期，缺乏合格的教師是極嚴重的問題，但經過多年的努力，該問題已逐漸改善。中國的研究生在學費、研究經費、基本的生活開支、住宅、醫療照顧方面的費用完全由國家來支付，美國的研究生則通常是自費的。

造成以上這些差異的主要原因有三（Liu，1992，pp· 115—116）：

1. 美國是一個富有的國家，正式的圖書館教育也有長久的歷史，對圖書館教育的經費亦是較充裕的。然而美國有註冊的學校數量卻全面在下降中，特別在1980年代早期，可將原因歸究於就業市場中對館員的需求短缺。但在中國，1980年代之初，專業館員的數量只有2—5%，因此對館員的需求極大，是促成圖書館教育蓬勃發展的原因之一。

2. 社會對資訊的需求是圖書館教育的動機之一。在中國門戶閉瑣政策、集中式經濟計畫等，降低了對資訊、圖書館員、資訊專家的需求，所以1980年之前的發展才會如此緩慢。1978年之後，中國政府的政策從政治意識轉爲經濟意識，從集中式經濟計劃變爲市場導向計畫，這些對經濟成長都是重要的改革，也造成圖書館與圖書館員的缺乏現象，因而刺激圖書館教育的進步。

3. 在中國的大學生與研究生住宅都是國家提供的，大量提供住屋給學生，使得未來入學的人數將限制擴增。

四、討　論

未將比較項目、結果分點或列表，使得異同點的呈現不夠清晰。若不考慮其樣本選取的代表性與合理性，作者在解釋產生異

同處的原因方面，有相當合理化的表現，是本章所列個案中少數
有顯著地達到「比較」步驟的文獻。但是，不管在中國或美國，
圖書館學校的數目都不少，作者只選擇少數幾所學校進行比較，
代表性恐怕有所不足，且並未交待選擇樣本的理由與條件，即以
其比較成果推論大局，似乎稍顯草率。

第六節　個案六：
亞洲圖書館學研究所之資訊課程研究

Chaudhry, Abdus Sattar （1988）Information science cur-
ricula in graduate library schools in Asia. *International
Library Review* 20：185—202.

一、研究對象

　　該研究本欲以亞洲的伊朗、印度、孟加拉、巴基斯坦、斯里
蘭卡、緬甸、泰國、菲律賓、馬來西亞、印尼、南韓、日本、中
國等13個國家的42所圖書館學校爲對象，進行設有研究所的圖
書館學校中，資訊課程的比較研究，但因斯里蘭卡、緬甸、印尼
等國問卷沒有回收，而其他國家總共回收25份，故研究對象稍有
縮減（Chaudhry，1988，p.188）。

二、研究方法及比較項目

　　作者利用 World guide to library schools and training
programs in documentation 一書，定義出亞洲地區研究所層次圖
書館學校的範圍。接著使用問卷法，將問卷寄給各系、所主任，

蒐集五大類相關課程（圖書館自動化、資訊儲存與檢索、系統分析、互動式電腦系統、程式寫作）的資料。再依問卷結果進行各國的比較分析，最後並與美、加兩國的情況再進行比較。

　　比較的項目包括：課程、資訊科學的課程、資訊儲存與檢索、資訊系統與程式、圖書館自動化、資訊與傳播理論、系統分析、與美國及加拿大的比較。

三、結論與建議

　　在圖書館學校名稱方面，有十二所使用圖書館學系、一所圖書館學研究所（Institute of library science）、一所圖書館學研究學系（Department of post-graduate studies in library science）、一所圖書館學與資訊科學學院（Faculty of library and information science）、一所圖書館學與資訊科學研究學系（Post-graduate department of library and information science）、四所圖書館學與資訊科學學系（Department of library and informaiton science）、一所教育學系（Department of education）、一所圖書館學與資訊科學學校，另有一個技術單位（Institute of technology）及兩個文獻中心（Documentation center）。

　　學位的授與方面，有九所是圖書館學碩士（MLS）、五所圖書館學裡的文學碩士（M. A. in Library Science）、五所圖書館學與資訊科學碩士、一所教育碩士（M. Ed.）、一所圖書館學與資訊科學文憑（Postgraduate diploma in library and information science）、兩所文獻與資訊科學副學位（associate degree in documentation and information science）。

　　25所學校，共有98種與資訊科學相關的課程，每個學校在資訊方面的課程平均是3.9門。資訊儲存與檢索的課程數量最多，其中可再細分爲三類：高級分編課程、索引與摘要、文獻與資訊檢索。資訊系統與程式課程數量次之，也可分爲三大部份：資訊來源與媒體、資訊系統與程式種類（Description of information systems and programs）、資訊服務。圖書館自動化課程則是第三大類，共有11種不同的課程名稱。資訊與傳播理論討論的是知識、傳播與資訊理論，15門課程共有11種名稱。系統分析重點在於將現代化的系統概念利用在圖書館上，11門課共有9種名稱。

作者列舉美加地區研究人員所提三種不同的資訊課程分類法，及其調查結果，再並列比較包括本研究在內的四種分佈狀況，其中課程受重視的情形略有出入，例如西方的研究中，線上資料庫檢索訓練已受到重視，亞洲國家則可能是因爲電腦設備還沒有被廣泛使用，所以並沒有相關的課程。亞洲國家相當普遍的兩大課程類型：資訊與傳播理論、資訊系統與程式，在西方則不是十分常見。

作者對未來研究提出幾項建議：將研究範圍擴展到大學部的圖書館學課程、入學條件（Prerequistites）、教材（Reading、Texts）等，並持續的進行課程分析，包括：教學法、學習評量等，都將有助於更清楚的了解亞洲地區的圖書館教育。

四、討　論

受限於時間與資料，該研究只對資訊科學方面的課程進行研究（Chaudhry，1988，p.189），若時間與經費等諸多環境因素配合，再進行圖書館學校課程的全盤性比較研究，應該對於亞洲圖書館學教育的了解極有助益。

　　該論文題目只標示欲比較亞洲圖書館學校中的資訊課程，但在文獻最後一部份卻列入與美國、加拿大的比較，有離題之虞。再者，亞洲地區的定義範圍也令人質疑，例如某些地區並未被包括，而列入研究的國家圖書館學校數目亦爲爭議點所在，作者引用World Guide to Library Schools and Training Programs in Documentation 一書，來定義出亞洲地區設有研究所的圖書館學校，其資料準確性與時效性可能並不恰當，才導至取樣的偏差，使得該研究有違比較圖書館學區域研究中，範圍定義必須清晰準確的原則。

　　以上三個個案研究的比照，見表4.2。

第七節　結　　語

　　整體來說，比較步驟中的敘述與解釋、並列與比較，兩者之間的分野並不易拿捏妥當，有些研究尚且將其混合爲兩大部份，以「美國圖書館學會與英國圖書館學會對圖書館事業發展之比較研究」一文爲例，在第二、三章中分別敘述、解釋兩國圖書館學會之概況後，便在第四章直接進行美國圖書館學會與英國圖書館學會之比較，並且重並列輕比較，這也是比較圖書館學的研究限制之一。

　　地區性資料不易蒐集，可能也是造成諸多比較圖書館研究內容對等性不夠的原因，以 "Information science curricula ingraduate library schools in Asia"一文爲例，研究人員本欲以13國42所圖書館學校爲研究對象，但實際上蒐集到的資料卻銳減

表4.2: 三個西文個案研究比照表

研究個案	美英兩國圖書館教育之比較	中美兩國圖書館教育之比較	亞洲地區圖書館學校資訊課程之比較
研究對象	美英兩國之圖書館學與資訊科學專業教育	中美兩國之圖書館學與資訊科學教育	亞洲10國25所圖書館學校之資訊相關課程
研究方法	比較圖書館學之歷史、個案、比較法	比較圖書館學之歷史、個案、比較法	問卷法、歷史法與比較法
研究步驟	敘述、解釋、比較	敘述、解釋、並列、比較	敘述、解釋、並列、比較
比較項目	課程、專業標準、學專業教育發展沿革、與學會的關係、現況	起源、發展、規模、結構、課程、教師學生	資訊儲存與檢索、資訊系統與程式、圖書館自動化、資訊與傳播理論、系統分析等五大類課程
比較方式	文字敘述	文字敘述	文字敘述、統計圖表
研究類型	個案、區域	個案、區域	個案、區域
建　　議	加強並列項目的表格化 應採取更中立的立場 比較對象篇幅的對等性應加強	加強並列項目的表格化 比較對象的選擇、代表性應更合理化	研究範圍的定義應更切題、明確

為10國25所圖書館學校，使得原本已受爭議的範圍更顯得不完整。雖然這是比較圖書館學的研究困難與限制之一，但進行主題、範圍設定時，研究人員即有必要考慮這些困境與因應之道。

參 考 書 目

李淑玲（民79）美英兩國國家圖書館體制與功能之比較研究　台
北市:漢美。

陳敏珍（民79）美國圖書館學會與英國圖書館學會對圖書館事業
發展之比較研究　台北:　漢美。

蔡金燕（民82）兩岸圖書館學教育之比較研究　（碩士論文,中國文化大
學史學研究所）。

Liu, Z.（1992）A Comparative study of library and information
science education:China and the United States · *International
Information & Library Review*. 24(2):107-118.

Mccrossan, J. A.（1989）Schools of Library and Information Sci-
ence in the United States and the United Kingdom : a compar-
ison . *Journal of Educational Media & Library Sciences*. 26
(4): 316-324.

Chaudhry, A. S.（1988）Information Science Curricula in Grad-
uate Library Schools in Asia. *International Library Review*.
20:185-202.

Stephens, A.（1992）"National libraries." In:D.W. Bromley & A.
M. Allott（eds.）*British librariahship and information work*
1986-90. London:Library Association Publishing, pp. 37-54.

第五章　國際圖書館組織

第一節　概　　述

國際組織之活動在比較與國際圖書館學中扮演了獲取資料來源的重要角色。在這些國際組織中，以FID、IFLA、UNESCO等三個組織尤爲重要。FID、 IFLA在1950至1970年代眞正達到國際性的特色。1957年，FID/CR在英國Dorking 主辦了第一屆國際分類研究會議（ International Conference on Classification Research ），FID. IFLA分別以分類及編目爲主要研究領域。1961年，IFLA於巴黎首次國際編目原則會議（ International Conference on Cataloguing Principles ），IFLA在1964年草擬了一個長程計劃，並以「Libraries in the World」爲題出版。 1969年國際編目專家會議（ International Meeting of Cataloguing Experts ）及ISBDs 的最後結果，是IFLA對世界圖書館事業的重要貢獻之一。1970年代，FID發展的國際書目控制（ Universal Bibliographical Control, UBC ）與 Broad System for Ordering（ BSO ）對國際圖書館事業帶來新的氣象。

在所有活動中，UNESCO所扮演之角色尤爲重要，其所發行的刊物UNESCO Bulletin for Libraries（ 1979年改名爲UNESCO Journal of Information Science, Librarianship and Archives Administration ），從40年代中期開始，即爲國際與比較圖書館

學開啟了耕耘的工作，它提供專家為開發中國家設立圖書館系統並在提供圖書館服務上，提供專家協助。它發行各種刊物，推廣圖書館學之國際化的研究與發展跨國文化（Kumar, 1987, p.2）。國內圖書館界目前參與的國際圖書館組織尚不多，有關國際圖書館組織之介紹除了 FID、IFLA、UNESCO 等較常被提及外，亦少見其他國際圖書館組織之概況報導，以下即擇取較重要之國際組織加以簡介。

第二節　重要國際組織簡介

本文所選取之國際組織，主要乃依庫麥（Kumar, 1987）及卡瑟（Kaser, 1977）兩人文中所列之組織為主，再依據由下列三項標準：組織持續的可能性、組織或功能的多樣性，及對本文之適切性。各組織之資料來源主要依據下列二書中挑選27個重要的國際組織（見表5-1）：

1. World guide to library, archive, and information science associations（2nd ed.）（1990）

2. The World of learning（1992）

依各組織名稱之英文字母為序，分別就下列各點說明於後：

· 語言
· 設立
· 主要興趣領域
· 主要目標、目的
· 組織結構
· 經費來源

表5.1: 國際圖書館組織

成立年代	組　　織　　名　　稱	簡　　稱	所　在　地
1895	International Federation for Information and Documentation	FID	[荷蘭] 海牙
1927	International Federation of Library Associations and Institutions	IFLA	[荷蘭] 海牙
1931	International Council of Scientific Unions	ICSU	[法國] 巴黎
1938	International Bureau of Fiscal Documentation		[荷蘭] 阿姆斯特丹
1938	International Federation of Film Archives		[比利時] 布魯塞爾
1942	Council of National Library and Information Associations, Inc.	CNLIA	[美國] 紐約
1946	United Nations Educational, Scientific and Cultural Organization	UNESCO	[法國] 巴黎
1947	International Organization for Standardization	ISO	[瑞士] 日內瓦
1948	International Council on Archives	ICA	[法國]巴黎
1948	International Youth Library	IYL	[德國] 慕尼黑
1950	International Committee for Social Science Information and Documentation		[法國] 巴黎
1951	International Association of Music Libraries, Archives and Documentation Centres	IAML	[瑞典]
1953	International Board on Books for Young People	IBBY	[瑞士]

1955-79	Central Treaty Organization	CENTO	
1955	International Association of Agricultural Librarians and Documentalists	IAALD	[荷蘭]
1955	International Association of Technological University Libraries	IATUL	[英國] 牛津
1956	Seminar on the Acquisition of Latin American Library Materials	SALALM	[美國] 威斯康辛州
1957	International Association for Mass Communication Research		[荷蘭] 阿姆斯特丹
1957	International Association for the Development of Documentation, Libraries and Archives in Africa	IADLA	[塞內加爾]
1959	International Association of Law Libraries	IALL	[美國] 芝加哥
1962	International Association of Documentalists and Information Officers	IAD	[法國] 巴黎
1963	Association of International Libraries	AIL	[瑞士]
1963	International Association of Bibliophiles		[法國]
1967	International Association of Orientalist Librarians	IAOL	[美國] 伊利諾州
1968	International Association of Metropolitan City Libraries	INTAMEL	[瑞士]
1969	International Association of Sound Archives	IASA	[英國]
1972	Commonwealth Library Association	COMLA	[牙買加]

- ·會員
- ·一般集會
- ·出版品
- ·活動

◎Association of International Libraries

國際圖書館學會（簡稱AIL）

· 語言：英、法語。

· 設立：1963年，在IFLA Council 第29次會期上於保加利亞
  首都索非亞設立。

· 主要興趣領域：國際文獻（International documentation）。

· 主要目標、目的：
  (1)促進國際圖書館之合作。
  (2)代表國際圖書館，特別是在IFLA中。

· 組織結構：由執行委員會（Executive Committee）來管理。
  加盟組織：IFLA、FID、UNITAR、UNESCO。

· 經費：
  (1)會費。
  (2)私人贈予。

· 會員：
  (1)會員數：約80個，分佈於10國。
  (2)會員類型：個人及團體。
  (3)資格：國際圖書館、從事於國際圖書館之個人或對本學會
    之目標有興趣者。

· 一般集會：每二年召開一次全體會員大會。

・出版品：無定期之正式出版品。

・活動：

AIL 致力提供一論壇，以討論其會員的一致問題，及如國際組織索引出版品的計劃。

⑴本會在數年沒有活動之後，於1987年再度活躍。首先，再度提出Geneva chapter（日內瓦憲章），並組成一代理的執行委員。

⑵目前：訪問在日內瓦地區之國際圖書館；舉行會議、討論有關在國際（或國際導向）組織中圖書館的問題。

⑶未來：Organization of a European Seminar in 1990；重建在其他國際中心（New York, Paris）的章程；贊助繼續教育之提供及參觀國際圖書館。

◎Central Treaty Organization

中央條約聯盟（簡稱CENTO）

・設立：

⑴CENTO 是巴格達協定（Baghdad Pact）的一個機構，由下列等國簽署：

1955年2月24日：土耳其及伊拉克；

4月4日：英國；

9月23日：巴基斯坦；

11月3日：伊朗。

1956年4月：美國成為CENTO Economic Committee and Counter-Subversion Committee 的一員。

1957年3月：美國成為Military Committee的一員。

1961年5月：美國成爲Scientific Committee的一員。

1959年3月：美國與伊朗、巴基斯坦及土耳其，於安卡
　　　　　拉（Ankara）簽署雙邊防禦條約（bilateral
　　　　　defense treaties）。

(2)1958年7月：伊拉克撤出CENTO。

　　　　　原來位於巴格達之總部，自1958年10月起，
　　　　　改設於安卡拉。

1979年3月：伊朗、巴基斯坦及土耳其離開CENTO。

1979年9月26日：關閉在撒哈拉（Sahara）的總部。

　　　　　CENTO 正式停止作業。

· 主要目標、目的：

透過土耳其、伊朗、巴基斯坦、英、美之合作，以達成軍事
及政治防衛上之集體安全，提昇經濟、文化進步。

· 經費：由其會員國支持。

· 活動：

(1)維持一小型的Photographic laboratory and archives。

(2)出版報告。

(3)傳播新知（如：醫學、農業、工業等）。

◎Commonwealth Library Association

大英國協圖書館學會（簡稱COMLA）

· 語言：英語。

· 設立：1972 年 11 月，由 Commonwealth Foundation, Mr.
John Chadwick, Director 贊助於奈及利亞首都拉哥斯設立。
1979年修訂組織章程，以地區性爲基礎來重新建構。

· 主要興趣領域：在大英國協中所有類型圖書館及圖書館服務之發展。

· 主要目標、目的：

(1)支持、鼓勵大英國協中之圖書館學會。

(2)加強圖書館員間之專業連繫。

(3)改進大英國協中之圖書館。

(4)提升圖書館員之地位和教育，以及資格之相互認可。

(5)倡導各種爲促進圖書館條款設計之研究計劃。

(6)促進大英國協中圖書館之技術發展。

· 組織結構：由6個地區性理事會（Regional Councils）管理，並於每3-4年派代表參與一般理事會（General Council）會議。加盟組織：ACURIL、FID、IFLA。

· 經費：

(1)會費。

(2)大英國協基金會（the Commonwealth Foundation）的補助。

· 會員：

(1)會員數：至1992年，擁有52個會員國，包括40個國家學會及130個合作會員。

(2)會員類型：

Full：國家學會。

Affiliates：圖書館、文獻中心等。

(3)資格：開放給所有協會、圖書館、資訊中心等，不論屬於大英國協與否。

· 一般集會：

(1)一般會員大會。

(2)執行委員會會議。

(3)COMLA Council。每3-4年舉行會議。

　　1983年：COMLA Council IV,於肯亞首都奈洛比。

　　1986年：COMLA Council V, 於加拿大首都渥太華。

　　1990年4月2-7日：COMLA Council VI,於馬爾他。

‧出版品：

(1)定期：COMLA Newsletter, 1973-（季刊）

(2)不定期： Policy Guidelines for School Library Development（1987）

The Impact of Automation on the Functions, Administration and Staffing of Libraries: A COMLA Seminar, Singapore, Nov. 1-2, 1985（Malta, 1988）

‧活動：

(1)過去成就：特別強調COMLA會員組織在其地區，透過地區性理事會（歐洲、西非、亞洲、東方、中南非、美洲及加勒比海）活動之發展。 1988年8月：COMLA seminar on library services in rural areas於澳洲雪梨召開。

(2)目前及未來：

　　─提昇鄉村圖書館及資源中心；

　　─促進發展中國家之圖書館資訊工作；

　　─增進年輕讀者之圖書館技巧；

　　─對組織法做有計劃的修正以澄清某些條款；

　　─藉由提供背景資料及倡導各項活動，敦促圖書館相關法律之立法；

　—贊助各種會議、講習會、研討會及其他繼續教育計畫；

　—1972年，由牙買加政府所資助，COMLA Secretariat 於
　　牙買加設置圖書館學會（ Jamaica Library Association
　　），

　—1990年4月一般理事會會議後，將遷新址。

◎ Council of National Library and Information Associations,
Inc.

　國家圖書館與資訊學會聯合會（簡稱CNLIA）

・語言：英語。

・設立：1942年，於紐約市成立，原名：Council of National
　Library Association, Inc.（ CNLA ），有14個圖書館學會爲
　憲章會員（ charter members ）。

・主要興趣領域：

　在北美（ North America ）之國家圖書館及資訊科學學會。

・主要目標、目的：

　提供美國及加拿大的圖書館／資訊學會與其他專業組織，在
　促進共同興趣事務上的討論及合作的論壇（ Forum ）。

・組織結構：由指導委員會（ Board of Directors ）來管理。

・經費：

　(1)會費。

　(2)預算。

・會員：

　(1)會員數：約19個。（ 團體會員 ）

　(2)資格：美國、加拿大之圖書館／資訊學會及有相關興趣之

組織。

(3)費用：依組織大小來分級收費。

・一般集會：每年二次會員大會，於秋、春季。

・出版品：

CNLIA Update, 1942- （不定期）

・活動：

(1)過去成就：

Ad Hoc Committee on Copyright Practice and Implementation；

Joint Committee on Specialized Cataloging；

成立National Information Standards Organization Z39（NISO），（原爲ANSI Committee Z39）。

(2)目前及未來：

繼續委員會工作；

Joint Committee on Library Legislation；

Ad Hoc Committee on White House Conference on Library Services；

找尋新方向，以在下列領域中協助會員學會：

preservation policies and practices；

association conference planning；

developing assoication newsletters and other publications；

the question of public lending rights, etc.

積極敦促圖書館相關法律之立法；

贊助：conference；

publications of The Bowker Annual （原由CNLIA

開始);

NISO Z39 的工作。

◎International Association for Mass Communication Research
國際大衆傳播研究學會

· 設立：於1957年。

· 主要興趣領域：

(1)傳播大衆傳播（mass media）教學及研究的資訊；

(2)鼓勵研究；

(3)提供資訊交換之論壇；

(4)引發傳播實務、政策、研究之改進；

(5)鼓勵對記者訓練之改進。

· 會員：分布在63個國家，會員數超過1000個。

◎International Association for the Development of Documentation, Libraries and Archives in Africa
非洲文獻、圖書館與檔案館發展國際學會（簡稱IADLA）

· 語言：法、英語。

· 設立：

(1)1957 年，名爲：Association pour le Developement des Bibliotheques Publiques en Afrique。

(2)1968年，改爲現名。

· 主要興趣領域：提昇所有非洲國家中檔案館、圖書館、文獻中心及博物館的計劃和組織。

· 組織結構：

加盟組織：IFLA。

・活動：與UNESCO合作，共同致力國家資訊政策（National information policies）之發展。

◎International Association of Agricultural Librarians and Documentalists

國際農業圖書館員與文獻專家學會（簡稱IAALD）

・語言：英語。（法、德、西）

・設立：1955年，於比利時（Belgium）的根特（Ghent）。

・主要興趣領域：

國際水準的農業圖書館學（Librarianship）及文獻（Documentation）。

・主要目標、目的：

(1)提昇國際及國家農業的圖書館學及文獻／資訊。

(2)提昇農業資訊專業人員（圖書館員、文獻家）之專業興趣。

・組織結構：由每年的執行人員會議（Executive officers meeting）來管理。

加盟組織：FID、IFLA。

・經費：

(1)會費

(2)預算。

・會員：

(1)會員數：分佈於80國，約800個以上。

(2)資格：不限。

- ·一般集會：每五年於世界性會議（World Congress）中，舉行一次全體會員大會

  五年間則舉行地區性會議（Regional Conference）。

  Regional Conference

  1985年：7th World Congress ，於加拿大首都渥太華
  （Ottawa）。

  1988年：Regional conference，於馬來西亞首府瓜拉倫坡
  （Kuala Lumpur）。

  1990年：8th World Congress，於匈牙利首都布達佩斯
  （Budapest）。

- ·出版品：

  (1)定期：Quarterly Bulletin of IAALD, 1956-（季刊）

  (2)其他：IAALD News, 1980-（不定期）

  Current Agricultural Serials （2冊）

  Primer for Agricultural Libraries

  World Directory of Agricultural Information Resource Centres

- ·活動：

  (1)目前：

  以專題來召開地區性及世界性會議，如：

  1980年：Agricultural Information to Hasten Development；

  1985年：Information for Food。

  (2)未來：

  出版新版的：

World Directory of Agricultural Libraries and Documentation / Information Centres。

◎International Association of Bibliophiles
國際藏書家學會
・設立：1963年。
・主要目標、目的：爲不同國家的愛書人提供一會議場所。
・會員：會員數約500個。
・一般集會：每二年舉行國際性集會。
・活動：組織會議。
・出版品：Le Bulletin du Bibliophile

◎International Association of Documentalists and Information Officers
國際文獻專家與資訊從業人員學會（簡稱IAD）
・語言：法、英語。
・設立：1962年，於巴黎。創立者：G. Picard 及 Jacques Samain。
・主要興趣領域：
　(1)資訊及文獻。
　(2)提供文獻學者之專業興趣。
　(3)在國際水平上從事文獻問題之研究。
・主要目標、目的：提昇資訊及文獻。
・經費：會費。
・會員：

(1)會員數：約700個人。

(2)會員類型：只有個人。

(3)資格：由指導委員會（Direction Council）認可。

・一般集會：每年10月於本會所在處：巴黎，召開一次會員大
會。

・出版品：

Monthly News, 只對會員發行。

◎International Association of Law Libraries

國際法律圖書館學會（簡稱IALL）

・語言：英、法、德、西班牙語。

・設立：1959年6月，於紐約市設立，由歐洲及美國的法律圖
書館館員在一項紐約律師學會（Association of the Bar of
New York）的會議上提出。

・主要興趣領域：

提供法律圖書館發展及立法文獻收集之世界合作。

(1)法律圖書館；

(2)立法資源圖書館間之國際合作；

(3)多國立法資料的採訪及研究。

・主要目標、目的：

(1)在多國的基礎上，促成個人、圖書館及其他機構有關立法
資料之採訪及書目處理工作。

(2)在全世界的基礎上，促進此類資料之研究及使用。

・組織結構：每年由執行人員（executive officers）及指導委
員會（Board of Directors）會議來管理。加盟組織：FID、

IFLA。

・經費：

　(1)會費。

　(2)私人贈予。

・會員：

　(1)會員數：分布於60國，約600個以上會員。

　(2)會員類型：個人、團體、永久。

　(3)資格：任何個人或團體對本會目的有興趣者。

・一般集會：每年召開一次全體會員大會。

・出版品：

　(1)定期：International Journal of Legal Information, 1982-
　　　　　　（一年三期）（原爲：Internatiol Journal of Law
　　　　　　Libraries, 1973-82. IALL Bulletin, 1960-72.）

　(2)不定期：The IALL Messenger（不定期）
　　　　　　Membership Directory

・活動：

　(1)在60個國家中成立法律館員的正式溝通管道。

　(2)透過定期出版之International Journal of Legal Information
　　來傳播資訊。

　(3)於IFLA General Council meetings 會期中，贊助研習會。

◎International Association of Metropolitan City Libraries
　國際大都會圖書館學會（簡稱INTAMEL）

・語言：英語。

・設立：1968年，於英國利物浦。

1976年，成爲IFLA的一個Round Table。

· 主要興趣領域：

(1)鼓勵全世界大都會圖書館（metropolitan city libraries）間
之國際合作。

(2)特別是在圖書交換、展覽、人員、資訊及IFLA工作之參
與。

· 主要目標、目的：

(1)成爲擁有四十萬人或四十萬人以上居民城市之公共圖書館
的專業通訊及資訊的基地。

(2)藉由各階層大都會公共圖書館之圖書、展覽、人員、資訊
之交換，來輔助資訊及知識的世界潮流。

(3)組織會議：交換在圖書館系統、圖書館建築、圖書館服務
的經驗及理想。

· 組織結構：一年二次，由執行人員來管理。

加盟組織：IFLA（a Round Table of Division III, Libraries
Serving the General Public）。

· 經費：會費。

· 會員：

(1)會員數：約100個，分佈於40國。

(2)會員類型：只有機構。

(4)資格：開放給全世界大都會城市圖書館（服務400,000以
上人口），以及適合之國家圖書館。

· 一般集會：每年一次會員大會於IFLA會議期間召開。

· 出版品：

(1)不定期：INTAMEL Newsletter, 1970-（不定期）

(2)其他：年報刊於IFLA Annual；工作團體會議文章刊於 International Library Review；發行Annual International Statistics of City Libraries（INTAMEL）及不定期之專論。

・活動：

(1)倡導研究在開發中國家大都會圖書館服務的問題及解決辦法。

(2)促進全世界大都會地區公共圖書館之進步。

(3)依照中程計劃，目前活動重點為：

　　—較大城市的圖書館網路；

　　—圖書館建築；

　　—在市立圖書館中成立特別主題部門；

　　—目錄之組織及使用；

　　—流通及編目自動化；

　　—在大都市中種族及語言學的少數份子之圖書館服務問題；

　　—研究圖書館工作；

　　—線上資訊服務。

◎International Association of Music Libraries, Archives and Documentation Centres

國際音樂圖書館，檔案館與文獻中心學會（簡稱IAML）

・語言：英、法、德語。

・設立：1951年，於法國巴黎。

・主要興趣領域：

　　音樂領域中的資源目錄；

　　音樂圖書館學，包括編目。

・主要目標、目的：

　(1)鼓勵及倡導音樂圖書館、檔案館及文獻中心的活動。

　(2)加強在此興趣領域中團體及個人之合作。

　(3)編輯音樂書目。

　(4)提昇音樂圖書館員及文獻家之專業訓練。

・組織結構：

　　　由理事會（Conucil）－國家分會及專業分會代表組
成；委員會（Board）－選舉及指定人員組成；全體會員大
會等來管理。

　加盟組織：IFLA、　International　Music　Council　、
　　　　　　　International Musicological Society（IMS）。

・經費：

　(1)會費。

・會員：

　(1)會員數：約1934個（817-個人；1117-團體）。

　　分佈於42國。

　(2)國家分會（National Branches）：20個。

　　專業分會（Professional Branches）：5個

　　—Broadcasting and Orchestra Libraries；

　　—Music Teaching Institutions；

　　—Music Information Centers；

　　—Public Libraries；

　　—Research Libraries。

委員會（Commissions/Committees）：5 個

—Bibliography；

—Cataloguing；

—Constitution；

—Publications；

—Service and Training。

(3)資格：任何個人、團體欲促進本會之目標。

· 一般集會：

每年一次全體會員大會。

　1988年：於日本東京。

　1989年：於英國。

　1990年：於法國布倫（Boulogne）。

每三年全體會員大會舉行一次集會（Congress）。

· 出版品：

(1)定期：Fontes artis musicae, 1954-（季刊）

(2)其他：Notes（季刊）

　　　　BRIO（半年刊）

本會主要活動即爲廣泛的出版品計劃，其他本會支助之出版
品包括：

—Documenta Musicologica

—Catalogus Musicus

—Terminorum Musicae Index Septum Linguis Redactus

—The Guide for Dating Early Published Music。

· 活動：

IAML贊助在音樂方面重要作品之準備及出版，以及提供書

目獎學金（bibliographic scholarship）。

本會參與UNESCO贊助之計劃幫助第三世界國家發展音樂圖書館及文獻中心。

◎International Association of Orientalist Librarians

國際東方圖書館館員學會（簡稱IAOL）

· 語言：英語。

· 設立：1967年8月，於美國密西根州Ann Arbor，在第27屆 International Congress of Orientalists（現為International Congress for Asian and North African Studies）

· 主要興趣領域：東方的研究、圖書館學。

· 主要目標、目的：

　(1)倡導東方人館員、圖書館與全世界其他相關領域之館員、圖書館間更好的溝通。

　(2)提供一論壇以討論共同興趣的問題。

　(3)改進擁有東方機構之國際合作。

· 組織結構：由三名被選出的人員來管理。

加盟組織：IFLA、International Congress for Asian and North African Studies。

· 經費：會費。

· 會員：

　會員數：約250個。

· 一般集會：每三年舉行一次會員大會。

　1989年：於加拿大多倫多。

· 出版品：

定　期：IAOL Bulletin, 1967-（半年刊）

· 活動：

著重於建立全世界東方館藏館員間更好之通訊。

◎International Association of Sound Archives

國際有聲檔案館學會（簡稱IASA）

· 語言：英、德、法語。

· 設立：1969年9月在IAML Conference 期間，於荷蘭首都阿姆斯特丹。

· 主要興趣領域：

(1)聲音記錄之保存、組織及使用。

(2)錄音之技巧。

(3)修復及重製聲音的方法。

(4)音樂、歷史、文學、戲劇、民俗生活、民族音樂、雙聲、歌舞劇、語言學、方言、廣播電視檔案等等之檔案。

· 主要目標、目的：

(1)倡導錄音資料（recorded sound）之檔案保存及使用。

(2)促進保存錄音資料文獻檔案間之國際合作。

(3)提供及倡導有聲檔案館藏的使用檔案的原則。

· 組織結構：由執行委員會、會員的一般集會來管理。

加盟組織：IFLA、ARS、IAML、FIAT、FIAF、ICA、UNESCO。

· 經費：會費、出版品之銷售費。

· 會員：

(1)會員數：440個（253個個人會員, 187個團體會員），分佈於41國。

(2)委員會：編目、著作權、Discography、IASA之歷史、國家檔案、廣播聲音檔案、技術及訓練等七個。

(3)會員類型：個人、機構、永久（sustaining）。

(4)資格：開放給積極參與或有一嚴肅的興趣在聲音檔案作品及本學會之目標上的個人或團體。

・一般集會：每年一次會員大會。

1988年9月11日：於日本首都東京。

1989年9月：於奧地利首都維也納。

1990年8月：於澳洲首都坎培拉。

・出版品：

(1)定期：Phonographic Bulletin, 1969-（一年三期）

(2)其他：—Directory of Members

　　　　　—Selection in Sound Archives（1984）

　　　　　—Sound Archives: A Guide to Their Establishment and Development（1983）

・活動：

(1)過去成就：

　　—會員人數增加（幾乎一倍）；

　　—機構出版品計劃；

　　—增加與其他視聽檔案學會之合作，特別是在UNESCO Round Table。

(2)目　　前：

　　—主要執行委員會之重組；

　　—增廣視聽檔案之興趣；

—1987年與FIAF、FIAT組織國際技術座談會。

(3)未　　來：

—促進在訓練課程及一訓練座談會合作冒險；

—加強與視聽檔案學會之一致性。

本學會已積極倡導相關立法，例如：檔案、著作權、法定寄存、檢索、編目規則、保存方針。並贊助繼續教育演講、研習會、研討會。

◎International Association of Technological University Libraries

國際科技大學圖書館學會（簡稱IATUL）

・語言：英語。

・設立：1955年5月，於德國杜塞爾多夫成立。

・主要興趣領域：圖書館學、資訊科學、資訊科技。

・主要目標、目的：

(1)爲圖書館館長提供一討論會以交換有關在科學及科技大學圖書館目前重要事件上之觀點。

(2)爲其提供機會以發展對問題之共同研究。

(3)提昇會員圖書館間之合作。

(4)執行有關圖書館問題之研究。

・組織結構：由指導委員會及普通會員之會員大會來管理。

加盟組織：IFLA、FID、Scientific Associate of ICSU。

・經費：

(1)會費

(2)出版品之銷售費。

・會員：
(1)會員數：約153個大學圖書館。分佈於39國。
(2)會員類型：科技大學圖書館、official observer、sustaining、nonvoting associate。
(3)資格：開放給有提供工程或科技博士程度課程之學術機構圖書館；團體會員。

・一般集會：每年一次地區性會員大會；每二年一次國際性會員大會。

・出版品：
(1)定期：IATUL Quarterly: A Journal of Library Managemetn and Technology, 1987-（季刊）
（前刊名：IATUL Proceedings 及 IATUL Conference Proceedings）
(2)其他：年報、會議記錄、研習會及研討會報告。

・活動：
(1)過去成就：
—爲大學科技圖書館成立圖書館管理及資訊科技等資訊之國際交換；
—指導功能規格之研究。
(2)目　前：
—每二年舉行一次國際性會議；
—與 IFLA Section of Science and Technology Libraries 合作；
—圖書館讀者教育之研習會；
—科學期刊、電子資料轉換之研究計劃。

(3)未　　來：

　　─協助開發中國家大學科技圖書館在倡導立法

　　（UNISIST）上合作。

　　─贊助繼續教育研習會及交換訪問人員。

◎International Board on Books for Young People

　國際青少年圖書委員會（簡稱IBBY）

・設立：1953年。

・主要目標、目的：

　(1)提供及統一有關各國兒童圖書工作之力量。

　(2)鼓勵優良兒童圖書之生產及傳播，特別是在開發中國家。

　(3)提昇青少年（juvenile）讀物問題之科學研究。

・會員：

　(1)會員分佈：約60國。

　(2)會員類型：個人、國家。

・出版品：

　(1)Bookbird（季刊）

　(2)其他：集會報告、名錄、書目。

・活動：

　組織International Children's Book Day 及一個2年的國際集

　會；

　頒發：Hans Christian Andersen Award

　　　　─每二年，給活著的著者、插畫家，只要其作品是對

　　　　　青少年文學有顯著貢獻。

　　　　IBBY -Asahi Reading Promotion

　　—每年，給對兒童文學有重要貢獻之組織。

◎International Bureau of Fiscal Documentation
國際財政文獻局
·設立：1938年。是一獨立、非營利的基金會。
·主要目標、目的：
提供有關財政法（fiscal law）的資訊及其應用；
使圖書館有關國際稅及投資立法予以專門化。
·出版品：
⑴定 期： Bulletin for International Fiscal Documentation
（月刊）
⑵其 他：European Taxtion （月刊）活頁服務、調查、專
論。
·活動：
CD-ROM：
—tax treaties database
—European taxation database
floppy disks：
OECD database
另1989年起成立IBFD International Tax Academy，透過會
議、課程、訓練新手等活動，提供關於國際、比較稅法之教
育、訓練。

◎International Committee for Social Science Information and
Documentation

國際社會科學資訊與文獻委員會

· 設立：1950年。

· 主要目標、目的：

　一收集及傳播在社會科學方面文獻服務之資訊；

　一幫助改進文獻、建議社會有關文獻問題；

　一並起草可能可改良所有文獻之保存的規則。

· 會員：來自專門於社會科學或文獻之國際學會、其他專業領域。

· 出版品：

　(1)定　期：　International Bibliography of the Social Sciences（年刊，4 series）

　(2)其他：書目、名錄及報告。

◎International Council of Scientific Unions

國際科學團體聯合會（簡稱ICSU）

· 設立：1931年成立，延續1919年成立的International Research Council。

· 主要目標、目的：

　(1)促進協調國際科學聯盟組織活動,首要目標為科學知識之交換。

　(2)協調在不同科學流派之國際努力及其應用。

　(3)倡導對科學進步有用之國際組織或聯盟之組成。

　(4)介入與本組織結盟的國家政府的關係中,以隨本組織之能力提倡研究。

· 組織結構：

(1)結盟之組織代表了74國及20個國際聯盟。

(2)1946年12月，UNESCO與ICSU間簽定一項協議：認可ICSU爲國際科學聯盟之協調及代表團體。

(3)與ICSU有聯盟關係的聯盟組織，20個：

International Astronomical Union；

International Geographical Union（IGU）；

International Mathematical Union；

International Union of Biochemistry；

International Union of Biological Sciences；

International Union of Crystallography；

International Union of Geodesy and Geophysics；

International Union of Geological Sciences；

International Union of Immunological Societies（IUIS）；

International Union of Microbiological Societies（IUMS）；

International Union of Nutritional Sciences（IUNS）；

International Union of Pharmacology（IUPHAR）；

International Union of Physiological Sciences；

International Union of Psychological Science；

International Union of Pure and Applied Biophysics；

International Union of Pure and Applied Chemistry（IUPAC）；

International Union of Pure and Applied Physics；

International Union of Radio Science；

International Union of the History and Philosophy of Sci

ence；

International Union of Theoretical and Applied Mechanics

。

(4)ICSU設立的委員會，10個：

Committee on Data for Science and Technology
（ CODATA ）；

Committee on Genetic Experimentation （ COGENE ）；

Committee on Science and Technology in Developing Coun-
tries（ COSTED ）；

Committee on Space Research （ COSPAR ）；

Committee on the Teaching of Science （ CTS ）；

Committee on Water Research；

Scientific Committee on Antarctic Research （ SCAR ）；

Scientific Committee on Oceanic Research （ SCOR ）；

Scientific Committee on Problems of the Environment
（ SCOPE ）；

Scientific Committee on Solar-Terrestrial Physics
（ SCOSTEP ）。

(5)服務與聯盟間委員會（ Services and Inter-Union Commis-
sion ），3個：

Federation of Astronomical and Geophysical Services
（ FAGS ）；

Inter-Union Commission on Frequency Allocations for
Radio Astronomy and Space Science （ IUCAF ）；

Inter-Union Commission on the Application of Science to

Agriculture, Forestry and Aquaculture（CASAFA）。

・經費：

　(1)會員（國家、非政府聯盟）；

　(2)UNESCO；

　(3)其他來源。

・出版品：

　—ICSU Year Book

　—ICSU Newsletter

　—Science International（季刊）

・活動：

　除了其會員聯盟的工作在決定國際標準、單位、術語，以促

　進溝進，ICSU於1952年成立其Abstracting Board，組織及提

　昇國際交換與出版一手、二手出版品。

◎International Council on Archives

　國際檔案委員會（簡稱ICA）

・語言：文獻－英、法語。

　　　　集會－英、法、德、西、俄語。

・設立：1948年6月，爲臨時的ICA。

　1950年8月，於巴黎舉行首次集會。

・主要興趣領域：

　檔案，包括記錄管理、研究、訓練、政策及程序。

・主要目標、目的：

　(1)促進國際檔案之合作；

　(2)促進檔案遺產之保存；

(3)促進檔案發展；

(4)促進專業訓練；

(5)促進檔案之檢索。

· 組織結構：由執行委員會來管理。

　加盟組織：FID、IFLA。

　　　　　　National administrations members have a consul-
　　　　　　tative status with UNESCO。

· 經費：

(1)會費

(2)出版品之銷售費。

(3)從各種政府計劃來支持。

(4)UNESCO之津貼及契約。

· 會員：

(1)會員數：約1100個，分佈於143國。

(2)9個地方分會，3個部門，10個委員會。

(3)資格：檔案主管、機構、服務、訓練中心、專業學會、專
　業檔案家。

· 一般集會：每四年一次會員大會。

1988年：於法國巴黎。

1992年：於加拿大蒙特利爾（Montreal）。

International Round Table Conference on Archives，由在此
業中的領導者處理重要問題，每年舉行，除了會員集會當年
外。

· 出版品：

(1)定期：Archivum, 1950- （年刊）

(2)其他：

—ICA Bulletin（半年刊）；

—ICA Directory；

—Glossary of Basic Archival and Library Conservation；

—Terms（1988）Archive Buildings and Equipment
（1988）；

—Bulletin of the Bussiness Archives Committee；

—Bulletin of the Commission for Archival Development；

—Guide to the Sources for the History of Nations（與
UNESCO合作出版）。

·活動：

(1)過去成就：

—1981-86年出版爲UNESCO所作之43 RAMP（Records
and Archives Management Programme）研究；

—出版指南；

—增強地區性結構；

—組織新部門，如：

—municipal archives；

—business and trade union archives；

—professional education and training；

—對世界的檔案及圖書館遺產之保存作調查；

—通過3d Medium Term Plan 1988-1992。

(2)目前優先領域：

專業訓練、保存、自動化、發展中國家之微縮影片、檔案
發展及檔案研究、管理（包括記錄管理）。

1988年：於巴黎舉行第11屆International Congress on Archives；

1989年5月：贊助Second European Conference on Archives 於University of Michigan。

1992年：於加拿大蒙特利爾舉行第12屆International Congress on Archives。

(3)未來：

透過微縮片來重建檔案遺產；

本會已致力3冊的Archivum來討論檔案的立法及執行3個RAMP研究在立法事物上；

本會贊助繼續教育演講、研習會及研討會。

◎International Federation for Information and Documentation
國際資訊與文獻聯盟（簡稱FID）

・語言：英、法語。

・設立：1895年9月2日，於比利時首都布魯塞爾（Brussels），由Paul Otlet及

Henri La Fontaine設立，名為：

Institut Internationale de Bibliographie（IIB）；

後來改為：

Federation Internationale de Documentation /International Federation for Documentation（FID）；

1986年於會員大會上投票採用今名：

Federation Internationale d'Information et de Documentation /International Federation for Information andDocu mentatoin（FID）

以反映FID之對現代資訊發展漸增的興趣。

· 主要興趣領域：

(1)資訊管理；

(2)資訊科學（理論及實務；分類法等）；

(3)文獻；

(4)國際十進分類法（Universal Decimal Classification, UDC
）；

(5)資訊政策。

· 主要目標、目的：

(1)透過國際合作，促進科學、技術、社會科學及人文科學等
各領域資訊科學之研究與發展；

(2)促進資訊及文獻之使用；

(3)發展資訊檢索；

(4)爲資訊工作發展工具；

(5)致力資訊系統的國際網路之創立。

· 組織結構：

由每二年的會員大會來管理。

與ICSU（International Council of Scientific Unions）合作；

是 ICSSD（ International Committee for Social Sciences In-
formation and Documentation ）、ICOM（ International
Council of Museums ）、UIA（ Union of International Asso-
ciations ）的會員；

並與12個國際組織有諮詢的關係，如：

IFLA、ICA、ECOSOC（ Economic and Social Council of

the UN ）；

FAO（Food and Agriculture Organization of the UN ）；

IAEA（International Atomic Energy Agency ）；

CIB（International Council for Building Research, Studies and Documentation ）；

ISO（International Organization for Standardization ）；

ITU（International Telecommunication Union ）；

UNESCO；

UNIDO（United Nations Industrial Development Organization ）；

WIPO（World Intellectual Property Organization ）等。

・經費：

(1)會費

(2)出版品之銷售費。

(3)UNESCO的補助。

(4)國際締結的工作（international contract work ）。

・會員：

(1)會員數：約371個。（66個國家會員、5個國際會員、300個加盟會員－於教育、政府、工業、國際、個人等類中）

(2)2個地區理事會（Regional Commissions ）：

　　FID/CAO - Commission for Asia and Oceania;

　　FID/CLA - Commission for Latin America.

　2個籌備中的地區理事會：

　　FID/NANE - Commission for North Africa and the Near East;

FID/CAF – Commission for Western, Eastern and Southern Africa.

代表了82國；9個委員會：

Research on Theory of Information；

Linguistics in Documentation；

Information for Industry；

Education and Training；

Classification Research；

Terminology of Information and Documentation；

Patent Information and Documentation；

Social Sciences Documentation；

Informatertrics.

(3)資格：一國只能有一個組織可以取得FID之國家會員資格，且此組織應直接或間接地涉及其國之資訊有關事物，並負責屬於其國家部份之資訊條款。

(4)國家及國際會員在會員大會中有投票權；

國家會員在其國家中扮演FID之National Focal Point的角色。

加盟會員（個人及團體）可來自上述所有類型資訊組織。

・一般集會：每二年一次會員大會。

1988年：於南斯拉夫的盧布拉納（Ljubljana）。

1990年9月19-22日：於古巴首都哈瓦那（Havana）。

1992年9月：於西班牙首都馬德里（Madrid）。

・出版品：

(1)定期： International Forum on Information and Docu-
mentation（IFID）, 1975-（季刊），FID News Bulletin
（月刊）。
會議記錄、研習會及研討會報告。
(2)其他： Research Review in Information and Documenta-
tion, 1989-（季刊）名錄、研究、FID Occasional Paper
Series。

・活動：
根據1986年會員大會認可之新階段計劃（the new Strategic
Plan），
FID Professional Programme依下列主要計劃領域來組
織：
A.改進資訊資源的可得性（availability）及可應用性（
applicability）
B.發展資訊市場
C.發展資訊工作工具
D.增加資訊財產權的基本瞭解
E.專業發展，特別是對文獻學家及資訊專家的教育及訓
練。
包括上述所有領域的工業資訊。
一個小組會議：監督Board System of Ordering（BSO）
一個管理委員會：負責Universal Decimal Classification
（UDC）
透過研討會、研習會、出版品及名錄來舉行活動；
積極致力於促進與資訊活動有關之立法；

贊助展覽，繼續教育之提供。

◎International Federation of Film Archives
國際影片檔案聯盟

・語言：英、法語。

・設立：1938年，於巴黎。

・主要興趣領域：

(1)保存電影藝術及歷史遺產。

(2)集合所有組織共同致力於此目標。

・主要目標、目的：

除了上述二點外，

(1)促進影片及相關文獻之收藏及國際交換；

　爲使其盡可能廣泛地可被檢索。

(2)鼓勵在所有國家檔案之創造，以收集及保存每一土地之影

　片遺產。

(3)促使影片檔案間之合作與交換。

(4)倡導電影藝術文化的發展；提昇大衆對電影藝術之興趣。

・組織結構：

由一般及執行委員會（General and Executive Committee）

來管理，一年開三次會。

加盟組織：UNESCO（透過IFTC）。

・經費：會費。

・會員：

(1)會員數：約78個。

(2)會員類型：只有團體會員。

· 一般集會：每年一次會員大會。

· 出版品：

有時出版Bulletin給會員。

出版年會會議記錄、年報、及其他出版品，如：

—Film Preservation；

—The Preservation and Restoration of Colour and Sound in Films；

—Handbook for Film Archives；

—International Index to Film and Television Periodicals（卡片服務）。

· 活動：

輔導此領域的研究，編輯新文獻，執行研究，出版手冊等。

(1)重要成就：

出版許多關於影片保存、編目的手冊；

及出版卡片式International Index to Film Periodicals。

(2)目　　前：

International Index to Film Television Periodicals（卡片服務），出版品。

◎International Federation of Library Associations and Insititutions

國際圖書館學會聯盟（簡稱IFLA）

· 語言：英、法、德、俄、西班牙語。

· 設立： 1927 年，於蘇格蘭（ Scotland ）首府愛丁堡（ Edinburgh ）。

在第50屆英國圖書館學會年會

（50th Anniversary Conference of the British Library Association），由15國代表簽署決議。

・主要興趣領域：

圖書館學及資訊服務所有領域之國際合作。

・主要目標、目的：

本聯盟應爲一個獨立的、國際的、非政府的學會，無營利動機。

目的爲：

(1)倡導在圖書館活動所有領域之瞭解、合作、討論、研究及發展。包括：書目、資訊服務及人員教育。

(2)提供關於國際興趣之代表主體。

・組織結構：

由會員提名之代表所組成之理事會（Council）來管理，每二年（奇數年）開一次會。

主要指導團體：執行委員會（Executive Board）

專業委員會（Professional Board）

計劃管理委員會（Programme Management Committee）。

加盟組織：UNESCO（consultative status）；

WIPO；

ISO（International Organization for Standardization；observer status）；

ICSU（associate status）；

FID；

　　　　ICA；

　　　　IBBY（International Board on Books for Young People）；

　　　　IAALD；

　　　　ALECSO（Arab League Education, Cultural & Scientific Organization）。

· 經費：

(1)會費

(2)出版品之銷售費。

(3)政府補助。

(4)基金會贈款。

(5)UNESCO。

· 會員：

(1)會員數：約135國1284個。

(2)會員類型：

兩類，國家學會／機構會員、加盟的團體及個人會員（無投票權）。

即IFLA歡迎圖書館學會─成爲其會員，

　　　　　圖書館─成爲其聯合（associate）會員。

(3)8 個組（Divisions）：

一般研究圖書館（General Research Libraries）；

專門圖書館（Special Libraries）；

公共圖書館（Libraries Serving the General Public）；

書目控制（Bibliographic Control）；

館藏及服務（Collections and Services）；

管理及科技（Management and Technology）；

教育及研究（Education and Research）；

地區活動（Regional Activities）。

(4) 32個部門（Sections）：

15個：依圖書館類型分，如：

國家（National）；

大學（University）；

國會（Parliamentary）；

行政（Administrative）；

社會學（Social Science）；

地理學及地圖（Geography and Map）；

科技（Science and Technology）；

公共（Public）；

服務殘障人士（Serving Disadvantaged Persons）；

兒童（Children's）；

學校（School）；

生物及醫學（Biological and Medical）；

藝術（Art）；

服務盲者（Serving the Blind）；

服務多重文化人口（Serving Multicultural Populations）。

7個：依活動及資料類型分，如：

書目（Bibliography）；

編目（Cataloguing）；

採訪及交換（Acquisition & Exchange）；

館際借書及文件傳遞（Inter-lending & Document Delivery

　）；

　期刊（Serials）；

　官書（Government Publications）；

　珍藏書（Rare & Precious Books & Documents）；

　分類及索引（Classification & Indexing）。

　10個：其他方面，如：

　保存（Conservation）；

　圖書館建築及設備（Library Buildings & Equipment）；

　統計（Statistics）；

　教育及訓練（Education & Training）；

　圖書館理論及研究（Library Theory & Research）；

　地區活動（Regional Activities）：

　　非洲（Africa）；

　　亞洲及大洋洲（Asia & Oceania）；

　　拉丁美洲及加勒比海（Latin America & Caribbean）。

(5)11個圓桌會議（Roundtables）：

　繼續教育、視聽媒體、閱讀研究⋯⋯等。

(6)資格：圖書館學會、國家及國際學會、由執行委員會認可

　有相似興趣之組織；

　圖書館及相似機構、個人，由秘書處認可。

‧一般集會：每年一次會員大會。

1988年8月30日至9月3日：於雪梨（Sudney）。

1989年8月20至25日：於法國首都巴黎（Paris）。

1990 年 8 月 18 至 24 日：於 瑞 典 首 都 斯 德 哥 爾 摩

（Stockholm）。

1991年8月18至24日：於蘇維埃共和國（USSR）首都莫斯科（Moscow）。

1992年8月18至24日：於印度（India）新德里（New Delhi）。

1993年8月22至28日：於西班牙（Spain）首都巴塞隆納（Barcelona）。

1994年：於古巴（Cuba）首都哈瓦那（Havana）。

·出版品：

(1)定期：

　—IFLA Journal, 1975-（季刊）

　—IFLA Annual

　—IFLA Directory

　—IFLA Trends（兩年一次報告）

　—IFLA Medium Term Programme 1986-1991（2nd ed.）

　—IFLA Status and Rules of Procedure

(2)其 他： International Cataloguing and Bibliographic Control, 1972-（季刊）

　（IFLA International Program for UBCIM）

　及其他出版品。

·活動：

IFLA 的活動之實行乃透過：

核心計劃（Programme Management Committee: 主席：波蘭的 A. Wysocki）及由各組、各部門、圓桌會議來進行。

(1)過去成就：

　核心計劃的發展及其重點：

　　A.UBCIM：Universal Bibliographic Control International
　　　MARC
　　　（全球性書目控制與國際電腦化計劃）
　　B.UAP：Universal Availability of Publications
　　　（出版品的全球供應）
　　C.PAC：Preservation and Conservation
　　　（圖書館資訊的保存與運用）
　　D.UDT：Universal Dataflow and Telecommunications
　　　（全球性電腦資訊交流與全球通訊）
　　E.ALP：Advancement of Librarianship in the Third World
　　　（第三世界圖書館事業的開展）
⑵目前優先計劃：
　　對第三世界發展計劃之強化；
　　教育及訓練；
　　保存及保護；
　　書目控制。
⑶長期發展政策：
　　A.提升圖書館在社會中的文化、教育與社會角色；
　　B.改進資訊的利用與可獲性；
　　C.持續採用資訊技術與通訊設備；
　　D.加強圖書館專業。
　　　本學會贊助繼續教育研習會，並在年會上舉行研習會及
研討會。

◎International Organization for Standardization

國際標準組織（簡稱ISO）

·設立：1947年，於倫敦。

在 International Federation of the National Standardizing Association 的一個會議上隨後成立。

來自25個國家的代表合作創立此新國際組織。

·主要興趣領域：

促進全世界標準化及相關活動的發展。

ISO 的範圍延伸至技術及非技術的標準，並不限於任一特定部門。（不涉及電子技術領域，因此乃 International Electrotechnical Commission 所包含）。

·主要目標、目的：

⑴致力發展工業、商業、工程、安全的全球性一致化標準。

⑵促進貨物及服務之國際交換。

⑶發展在知識的、科學的、科技的、經濟的活動上之相互合作。

·組織結構：

ISO 的技術工作是透過技術委員會（technical committees）所完成，委員會創立及範圍乃由 ISO Council 所決定。各 committee 決定其 Program 及再創設 subcommittee 及 working groups。

其技術委員會（ISO/TC 46：ISO Technical Committee 46）：

—1938年成立，主題是關於圖書館，文獻、資訊中心，索摘服務，檔案，資訊科學，出版之相關實務的標準化。

—處理文獻標準事宜、致力於發展如：書目、期刊及音譯的基本原則也已促成國際溝通。

贊助從事於資訊及文獻領域的技術委員會爲：

ISO/TC 37 – Terminology（principles and coordination）

ISO/TC 97 – Information Processing Systems

ISO/TC 154 – Documents and Data Elements in Adminis-
tration , Commerce, and Industry

ISO/TC 171 – Micrographics

ISO 認可約409個國際組織與ISO technical committees and
subcommittees 有聯絡狀況（liaison status）。

・經費：會費。

・會員：

1986年時，ISO 由90個國家之國家標準機構所組成，
其中75個會員主體（member bodies），15個通信會員
（correspondent members）。

通信會員是在開發中國家尚未有其本身的國家標準團體的一
般性組織，多數爲政府團體，且其在幾年後，通常都成爲完
全（full）會員，其並不參與技術工作。

會員包含國家委員會（national committees），一國一個，
來自處理標準的科學、科技組織的代表。

・出版品：

ISO 出版許多文獻及期刊：

ISO Catalogue（年刊）

　　－是ISO 標準的一年目錄，每季更新。

ISO Technical Program

　　－是所有ISO 標準草案的半年目錄。

ISO Bibliographies

－是特定範圍領域中所有標準及標準草案的目錄。

ISO Annual Review

－可知ISO 的所有活動。

ISO Bulletin（月刊）

－可知ISO 每月活動消息。

Directives for the technical work of ISO

－可知技術委員會的資訊。

ISO International Standards

ISO Memento（年刊）

ISO General Information Brochure

ISO 也出版一系列手冊，包含特定領域中所選出的ISO 標準。

ISO Standards Handbooks

◎International Youth Library

國際青少年圖書館（簡稱IYL）

· 設立：1948年，於德國慕尼黑（Munich）；1953年起加入UNESCO的聯合計劃。

· 主要目標、目的：

(1)透過圖書來消除青少年心中之國家偏見。

(2)成為全世界兒童文學資訊參考中心。

(3)鼓勵兒童圖書出版及研究之國際交換及合作。

(4)提供學生、老師、出版社資訊及忠告。

(5)組織展覽會。

(6)全世界國際兒童文學之最大館藏（100種以上語言，50萬冊以上圖書）。（主要乃由兒童圖書出版者所贈）

・經費：

(1)來自Rockefeller Foundation 之贈款。

(2)UNESCO之贈款。

(3)作業經費來自：West German government

　　　　　　　　　Bavarian state government

　　　　　　　　　municipality of Munich

・出版品：

Catalogues of various exhibitions Report（季刊）

White Ravens

IJB - Bulletin（季刊）

◎Seminar on the Acquisition of Latin American Library Materials

拉丁美洲圖書館資料徵集會（簡稱SALALM）

・語言：英、西班牙、葡萄牙語。

・設立：1956年6月，於美國佛羅里達州的Chinsegut Hill設立，主辦者爲Columbus Memorial Library of the Pan American Union 及University of Floride Libraries。

1956-68年：Stanley, L. West爲永久秘書；

1968-73年：Marietta Daniels Shepard爲執行秘書。

1968年，學會合併，且提出憲章及細則。

・主要興趣領域：

拉丁美洲的書目、採訪、網路、館藏發展、圖書館作業及在拉丁美洲的服務。

・主要目標、目的：

(1)控制及傳播有關各類型拉丁美洲的出版品之書目資訊。

(2)拉丁美洲圖書館館藏之發展。

(3)倡導共同的努力以爲個人及團體改進圖書館服務。

(4)改進對美國說西班牙語及說葡萄牙語人口之圖書館服務。

・組織結構：由執行委員會及憲章來管理。

・經費：

(1)會費

(2)出版品之銷售費。

(3)轉投資。

(4)母機構之支持。

・會員：

(1)會員數：約475個。（350個個人會員，125個團體會員）
分佈於35國。

(2)會員類型：個人、學生、名譽退休者、團體。

(3)資格：任何個人、團體或對SALALM之目的有興趣之其他
組織。

・一般集會：每年一次會員大會；有時也舉行冬季會議。

1988年：於University of California, Berkeley。

1989年：於University of Virginia。

・出版品：

(1)定期：SALALM Newsletter, 1964- （季刊）

(2)其他：會議記錄、書目及參考書叢書，如：

An Acquisitions Manual/Manual de Adquisicoes （1988）

Directory of Vendors of Latin American Library
Materials（3rd ed., 1988）

A Bibliography of Latin American and Caribbean
Bibliographies, 1987-88（1988）

Microfilming Projects Newsletter（年刊）

· 活動：

會員包括：圖書館、圖書館員、書商及學者等有志於有關所
有類型的拉丁美洲出版品之書目資料的控制及傳播；及亦有
志於支持拉丁美洲研究的圖書館館藏的發展。

(1)過去成就：

成立Marietta Daniels Shepard Scholarship at University of
Texas 及出版品。

(2)目　　前：

年會之準備、出版品、委員會計劃、獎學金計劃。

◎United Nations Educational, Scientific and Cultural Organi-
zation

聯合國教科文組織（簡稱UNESCO）

· 設立：1946年。

· 主要目標、目的：

(1)目標：國際和平及人類共同福祉。

(2)目的：提昇－透過世界人民之教育、科學、文化關係。
　　　　　傳播知識及文化。

(3)功能：

　　A.國際知識的合作：

UNESCO透過一專家的世界網路來幫助交換經驗、知識、理念，除了其專業人員的工作外，UNESCO定期與國家學會及科學家、藝術家、作家、教育家之國際聯盟來合作，其中部份組織是由UNESCO所幫助成立的。

UNESCO召開會議及協調國際科學努力，幫助文獻程序標準化及提供 clearing house 服務。提供獎學金；出版廣泛的專業作品，包括：Source books 及 works of reference。

UNESCO倡導不同的國際協議，包括：

International Copyright Convention

World Cultural and National Heritage Convention

B. 作業的協助：

UNESCO已成立missions來建議政府，特別是在開發中會員國及計劃之安排，UNESCO並指派專家協助其執行。

有關之計劃：

a. 對發展事業中工作者之職務上的（functional）文學教學；

b. 教師訓練；

c. 成立圖書館、文獻中心；

d. 對新聞工作者、廣播、電視及電影工作者之訓練準備；

e. 改進科技教育；

f. 文化發展計劃人員的訓練；

g. 人力、資訊之國際交換。

C. 倡導和平：

UNESCO在種族問題上從事不同的研究努力，且特別注意預防教育上之歧視，改善婦女教育之途徑。

並倡導研究：

a.衝突與和平；

b.裁減軍備上之暴力與障礙；

c.國際法及組織在建立和平上之角色。

強調：人權、和平、裁減軍備不能單獨處理，因和平的先決條件是遵守人權，反之亦然。

・組織結構：

(1)會員大會（General Conference）：

是UNESCO最高的管理主體。每二年於一般會期時召開會議，由會員國代表所組成。

26th session: 1991年9-11月。

(2)執行委員會（Executive Board）：

含51個會員。準備會員大會所要提出之計劃，並監督其執行。每年召開2或3次會議。

(3)秘書處（Secretariat）：

・Director-General

・Director ot the Executive Office

(4)合作主體（Co-operating Bodies）：

依照UNESCO憲章，在許多會員國中已成立了國家委員會。此委員可幫助整合在會員國中之工作與UNESCO的工作。

(5)UNESCO 聯絡署（UNESCO Liaison Offices）：

・ Office for Liaison with United Nations

・ UNESCO Liaison Office in Geneva

(6)UNESCO 教育署（ UNESCO Education Offices ）：

・ Regional Office for Education in Latin America and the Caribbean

・ Regional Office for Education in Asia and the Pacific

・ Regional Office for Education in Africa

・ Regional Office for Education in the Arab States

・ Regional Office for Education in the South Pacific

・ European Centre for Higher Education （ CEPES ）

・ International Bureau of Education

・ UNESCO Regional Centre for Higher Education in Latin America and the Caribbean （ CRESALC ）

・ International Institute for Educational Planning (IIEP)

(7)UNESCO 科技署（ UNESCO Science and Technology Offices ）：

・ Regional Office for Science and Technology for Africa

・ Regional Office for Science and Technology for Latin American and the Caribbean

・ Regional Office for Science and Technology in the Arab States

・ Regional Office for Science and Technology for South and Central Asia

・ Regional Office for Science and Technology for South-East Asia

· Office of UNESCO Representative（Science and Tech-
nology）in China
(8)UNESCO 文化署（Unesco Culture Offices）：
· Regional Office for Culture in Latin America and the
Caribbean
· Regional Office for Book Development in Asia and the
Pacific
· UNESCO Liaison Offce for the Safeguarding of Venice
·經費：
(1)透過會員國所提供之定期預算。
(2)也透過其他來源，特別是UNDP。
(3)1984年因美國前總統雷根下令退出UNESCO，使經費來
源大幅減少。
但在柯林頓就任美國總統後，指派設置一專案小組，研究美
國重返UNESCO之可行性。研究報告指出,美國宜在1995年
10月重新加入UNESCO。目前該報告正由國家安全會議審
核中,尚未呈交白宮做出決定。一旦美國重新加入，經費必
大爲提昇。
·會員：
至1991年5月，約160個會員國。
·出版品：
UNESCO Courier（月刊）
－致力於UNESCO 的一般興趣之期刊；
以35國語言發行。
UNESCO Sources（月刊）

　　　　－提供有關UNESCO計劃的正式資訊、會議記錄、報告、
　　　　文章等；
　　　　以英、法、西班牙語發行。
　　Copyright Bulletin（季刊）
　　　　－關於不同國家立法之特別研究及文獻，以及UNESCO
　　　　致力於不同著作權法和諧方面的工作，
　　　　以英、法、西班牙、俄語發行。
　　Museum（季刊）
　　　　－關於全世界博物館及博物館學之國際評論，
　　　　以英、法、西班牙、俄、阿拉伯語發行。
　　Impact of Science on Society（季刊）
　　　　－關於科學爲社會改變之主要力量的報告。
　　　　以英、法、俄、阿拉伯、葡萄牙、韓語，及中文發行。
　　International Social Science Journal（季刊）
　　　　－以英、法、西班牙、阿拉伯語，及中文發行。
　　Nature and Resources（季刊）
　　　　－關於環境與保存的評論，
　　　　是Man and Biosphere Programme、
　　　　　International Hydrological Programme、
　　　　　International Geological Correlation Programme
　　　　的定期期刊，以英、法、俄、阿拉伯、葡萄牙、韓語，
　　　　及中文發行。
　　Prospects（季刊）
　　　　－關於教育之評論，以英、法、西班牙、俄、阿拉伯語，
　　　　及中文發行。

UNESCO Journal of Information Science, Librarianship and
Archives Administration（簡稱UJISLAA，季刊）

　　－1947年創刊，原刊名UNESCO Bulletin for Libraries，
　　1979年改爲現刊名，以阿拉文、英、法、俄及西班牙文
　　發行。此刊物出版了在資訊科學、圖書館學及檔案管理
　　領域中之原始研究、研究結果及具國際興趣之理論和實
　　際發展的文章，並成爲本專業領域中最常被引證之期刊
　　之一。
　　其他手冊、報告、摘要（compendia）：關於圖書館學之
　　摘要。
·活動：
　⑴教育
　　UNESCO有一個全面的政策：教育是終生的過程。例如：
　　有一影響是學前訓練及成人教育所陸續給予的優先權。此
　　研究已成爲近日許多研究計劃之計劃指針。
　　每年都對會員國提出特別的任務：有關教育方面所有事務
　　之意見，也協助海外訓練的計劃，並提供研究獎學金。在
　　此種協助形式下，對開發中會員國之鄉村地區給予優先
　　權。自組織成立之始，有關人力資源發展之論題及問題已
　　成爲UNESCO的教育計劃。目標包括：
　　　A.掃除文盲
　　　B.普及小學教育
　　　C.青少年訓練
　　　D.高等教育
　　　E.成人、非正式、終生教育

F.婦女教育。

除了其正常計劃預算，UNESCO的其他特別經費來源包
括：World Bank、UNDP、UNFPA、UNICEF等。

(2)自然科學、科技（Natural Sciences and Technology）

UNESCO在科技工作上主要重點是策動其發展，更重要的
是在迎合開發中國家之需求，但在高度工業化國家中，也
積極從事提倡及幫助合作的國際性計劃。UNESCO的活
動，可被分爲三層次：國際性、地區性、國家性。

A. 國際性

UNESCO在過去幾年以來，在有關天然資源上的環境科
學及研究，成立了不同形式之政府間的合作，例：

a.Man and Biosphere Programme（MAB）

b.International Geological Correlation Programme
（IGCP）

c.International Hydrological Programme

d.International Oceanographic Commission

e.International Lithosphere Programme

f.Intergovernmental Informatics Programme (IIP)

B. 地區性

UNESCO透過科學會議之組織及支持，與研究機構之合
約，合作網路之成立或加強，來發展合作的科技研究計
劃。

C. 國家性

UNESCO基於會員國之要求，協助在一般科技領域之政

策制定及計劃。並藉在：基礎科學、工程學、環境科學
之組織訓練及研究計劃。有關發展之特別工作，如：關
於鄉村的及散布的人口之小型能源資源使用之計劃。

(3)社會、人文科學（Social and Human Sciences）

社會科學計劃正在擴大中，以確保社會學之發展遍佈全世
界，藉由：加強國家及地區性機構、社會學之概念發展、
訓練、交換及傳佈資訊、與國際性非政府的組織之合作。

關於人權及和平的活動，包括二大計劃：

A.排除偏見、偏執、種族主義及種族隔離。

B.為和平、國際瞭解、人權及人民的權利之計劃。

(4)文化（Culture）

在文化遺產領域中，計劃著重於三個重要的動線：

a.設計活動以助長全球性的應用三個國際習俗，旨在保
護、保存文化財產，並使其併入當代社會生活中。

b.作業性的活動，如：國際保護運動，藉以幫助會員國來
保存及恢復紀念物及遺跡。

c.設計活動以改進博物館的管理、訓練專家、傳播資訊（如
最新的保存方法及技術）、促進對文化遺產價值具更佳
的公共意識。

　　除了新版的 History of the Scientific and Cultural
Development of Mankind 是繼續非洲、拉丁美洲、加勒
比海及中亞文明的歷史，以及繼續出版品：關於伊斯蘭
教文化之不同觀點。1988年開始了一項十年計劃：對於
non-physical 遺產之收集及保存（如：oral traditions，
traditional music、dance、medicine等）。

關於文化特質的發展，計劃包括：繼續協助會員國文化發展政策計劃之準備及評鑑，以及文化發展人員之訓練。

1986年12月由UN General Assembly正式宣佈：World Decade for Cultural Development開始於1988年1月，且將於1997年結束。此十年之重要目的乃在：
a.認知在發展中之文化特質
b.主張及提昇文化認同
c.增廣在文化生活之參與
d.提倡國際的文化合作。

接著，General Conference of the Recommendation concerning the Status of the Artist所認可，所作之努力被用以鼓勵其在會員國中系統的應用。特別注意著重在提昇：音樂、舞蹈、戲劇、建築、美術、設計及藝術與手工藝，以及組織交互訓練的研習會、及其他關於在藝術創作中使用新科技之實驗的研習會。

UNESCO之提昇圖書及讀物的計劃，包括活動有：在所有圖書領域（包括：編輯、設計、特別管理課程、在大學階段的課程）之圖書出版、製造、分配設施及人員的訓練。

此計劃之一重要的職責是：意欲透過提昇的活動、讀物鼓舞計劃、圖書週及圖書年，來加強在社會之所有層次（特別是兒童）的讀物發展。

⑸著作權（Copyright）

UNESCO在著作權領域中之計劃包含五種活動型態：

a. 目的在提高會員國對著作權所扮演的刺激智力創作的角色之注意力。

b. 國際法定文件（instruments）之準備，其施行由秘書處所擔保。（在這些法定文件中，應被引證Universial Copyright Convention，此乃保證對著者之最低限度保護，促進知識及文化資料之流通）

c. 活動為了確保傳統法律的充分足夠性，亦即藉由最新科技革命領域中之 reprography、衛星、電腦、有線電視、卡帶及唱片，使得重製及成功傳佈的方法具可能性。

d. 個人或團體訓練課程之組織，主要乃為開發中國家。

e. 提昇對被保護作品之檢索的活動。

(6)傳播（Communication）

　　UNESCO的計劃目的在個人、社區及國家中助長自由的潮流及更廣、更好之平衡的資訊交換。個人的國際運動及資料的流通，乃被提昇：透過評估減少立法、行政或經濟特質的障礙。

　　提供協助給會員國，在國家傳播政策之制定、及一連串關於新的傳播科技的會議之影響正被組織中。UNESCO也提倡：在傳播領域中之研究，也因此，而協助設立International Network of Documentation Centres on Communication Research and Polics。

　　UNESCO與會員國合作，特別在：發展中國家，為增強及擴大其傳播系統及網路，而在個別國家及地區、次地區各層次上執行一些計劃，以提供諮詢服務及幫助提高在傳播技巧之專業訓練。

1980年成立International Programme for the Development of Communication（IPDC）：以增加傳播發展資源。IPDC接受來自世界各地區之計劃書及其Intergovernmental Council決定在配置上一年一次。

(7)資訊系統、服務（Information Systems and Services）

UNESCO的General Information Programme（GIP）是一intergovernmental programme，關於提昇及發展：科技資訊、文獻、圖書館、檔案 等領域之資訊系統及服務。在國家、地區及國際層次上。其活動包括直接對UNISIST的發展，分成下列類別：

a.提昇資訊政策及計劃的有系統陳述格式；

b.資訊處理方法、規範、標準之提昇及傳播；

c.資訊基本設施的發展之貢獻；

d.專門化資訊系統發展之貢獻；

f.資訊專家及使用者之訓練及教育的提昇。

自從1979年舉行：

Intergovernmental Conference on Scientific and Technological Informaton for Development（UNISIST II）

及United Nations Conference on Science and Technology for Development（UNCSTD）

GIP 已決定對：

a.社經資訊

b.發展中國家之特別需求

特別關注。其計劃漸增對使用者導向研究之喜愛，特別是那些參與發展過程之使用者。並努力促進會員國高級資訊及傳播科技的：選擇、使用及適應。

一新的intergovernmental informatics programme 已被提議以幫助國家，特別是在第三世界，自電腦科學最近進步中獲益。

(8)圖書館方面活動

透過Division of Libraries, Documentation and Archives來實行最大部份之圖書館活動。UNESCO在圖書館的工作上分成三類：

　　a.圖書館發展；

　　b.書目及文獻；

　　c.出版品之國際交換。

第三節　結　　語

在這些組織中有一些共同特徵，例如：都是國際性的、已成立了一段時間、或多或少包含了某些圖書館或圖書館相關的目的。但也有相異點，如：有些是政府的，有些則爲非政府的；有些是以圖書館爲其重點，有些則以圖書館爲次要的關懷對象；有些以一般圖書館爲導向，有些則以專門圖書館爲導向；有些只有單一的圖書館目的，有些則有許多此類目的；有些採開放會員，有些則採封閉式。由表5.2即可看出一些此類不同的特徵。

各個國際組織因其設立宗旨之不同而有不同的活動領域，但各組織之活動性質仍有相似或重複之處。據卡瑟（Kaser, 1977

表5.2: 國際圖書館組織之特色

組　　織　　名　　稱	世界性	以圖書館爲主	開放會員	政府的	專門圖書館	多重目的
Association of International Libraries	∨	∨	∨		∨	∨
Central Treaty Organization				∨	∨	
Commonwealth Library Association		∨	∨			∨
Council of National Library and Information Associations, Inc.		∨			∨	∨
International Association for Mass Communication Research	∨		∨			∨
International Association for the Development of Documentation, Libraries and Archives in Africa		∨	∨		∨	
International Association of Agricultural Librarians and Documentalists	∨	∨	∨		∨	∨
International Association of Bibliophiles		∨		∨		
International Association of Documentalists and Information Officers		∨				
International Association of Law Libraries	∨	∨	∨		∨	∨
International Association of Metropolitan City Libraries	∨	∨			∨	∨
International Association of Music Libraries, Archives and Documentation Centres	∨	∨	∨		∨	∨

International Association of Orientalist Librarians	✔	✔	✔		✔	✔
International Association of Sound Archives	✔				✔	
International Association of Technological University Libraries	✔	✔			✔	✔
International Board on Books for Young People	✔		✔			✔
International Bureau of Fiscal Documentation	✔					✔
International Committee for Social Science Information and Documentation	✔		✔			✔
International Council of Scientific Unions	✔		✔	✔		
International Council on Archives	✔					✔
International Federation for Information and Documentation	✔					✔
International Federation of Film Archives	✔					✔
International Federation of Library Associations and Institutions	✔	✔	✔			✔
International Organization for Standardization	✔		✔			✔
International Youth Library	✔	✔		✔	✔	✔
Seminar on the Acquisition of Latin American Library Materials		✔	✔			✔
United Nations Educational, Scientific and Cultural Organization	✔			✔		✔

p.44-46）對 AIL 、 CENTO、ICSU、 IFLA 、 ISO、IYL、SALALM、UN、UNESCO等九個國際組織評論其施行成效之優、缺點如下：

1.**優點：**

(1)健全而持續之宗旨

既要廣泛，又要特定，似難以兩全，但健全、持續性的宗旨應儘量兼顧到二者。

(2)持續經費的保證

有了長期之經費保證，亦是組織生存與否之證明。

(3)人力持續資源

多數組織在有限的經費支援下，皆能找到許多自願人士來執行計劃，對推展組織活動頗有幫助。

(4)權威性

擁有高度的威望對計劃實施之有效性是為必需的，可對有關團體產生適當的影響力，如UNESCO對其會員國政府，及IFLA、FID、ICA對非政府專業團體。

2.**缺點：**

(1)共同之問題

共同之問題如：缺乏法律效力，國際組織必須透過共識來確認其目標，然而由於各國擁有不同傳統，導致此目標難以達成。此外，其他因素如：教育、技術、經濟的問題，工業發展的程度，優先順序需求概念之產生等。

(2)代表之參與

國際團體之代表性更是難以達成，一是在國家層次上；一是在國際層次上。除了在會員國中有集中的權威外，在某些組織中無代表參與的問題，但有時也導致國家對國際行動之許可造成緩慢，或由於不良考慮的國際決策而失去可能成爲會員國最佳興趣之列。

(3)重複之努力

各組織間雖有重複之努力範圍，但所強調之重點也有些不同，爲免矛盾的重點相對產生，透過組織間合作，應可過濾衝突處。

(4)成長之痛苦

如同其他快速生長的有機體，發展的愈快，一組織的能量部份就愈大，故而必須不再生產來維持其基礎。

卡瑟所提出之評論可作爲各國際組織改進運作之參考，他亦指出兩個國際組織重要的長期發展趨勢：最主要的是國際組織一直朝向持續增加中的國際圖書館的合作，藉由組織間合作可導致彼此間較少之重複工作；第二個重要的長期趨勢是因組織之工作而產生，不論是否執行所陳述的目的，已增加在圖書館相關事件之廣泛範圍上之標準，如在書目敘述、技術術語、專業實務、音譯的字、教育方法及許多其他特定領域。未來若對國際圖書館相關組織之工作再做進一步研究，應有利於澄清在此領域中將發生何事，亦可使可能之發展更爲鮮明。

國內圖書館及相關單位，目前雖未一一加入各個國際圖書館組織，但可就各圖書館之類型特色，嘗試開始了解各組織之活動及工作內容，進而依資格申請入會，以拓展國內圖書館之工作視野，並與國外圖書館及相關單位合作、交流。在國際合作及標準化的趨向下，國內與國際間的合作是必然的趨勢。

參 考 書 目

李德竹編著（民82）圖書館學暨資訊科學詞彙　台北市：文華。

傅雅秀（民81）比較與國際圖書館學概説　國立中央圖書館館刊
　　新25（2）:3-20。

劉春銀譯（民80）蓋耶漢（Hans-Peter Geh）原著　IFLA爲圖書
　　館與資訊服務新境界貢獻新猷　國立中央圖書館館刊　新24
　　(2):93-95。

鮮人（民82年12月11日）美國將重返UNESCO 台灣新生報　第20
　　版。

顧敏（民82）國際圖書館聯合會暨國際國會圖書館會議出席記
　　中國圖書館學會會報　51:263-266。

Fang, J. R. & Songe, A. H.（eds.）（1980）*International guide to
　　library, archival, and information science associations.*
　　（2nd ed.）New York: R. R. Bowker.

Fang, J. R.（et al.）（1990）*World guide to library, archive, and
　　information science associations.* Munchen: K. G. Saur.

Kaser, D.（1977）International Organization. In J. F. Harvey
　　（ed.）*Comparative and international library science.*
　　Metuchen, N.J.: Scarecrow Press, pp.39-47.

Kumar, P.S.G.（1987）Comparative librarianship: A theoretical
　　approach. In: P. S. Kawatra（ed.）*Comparative and
　　international librarianship.* New Delhi: Sterling Publishers
　　Private Limited, pp.4-5.

Osmanczyk, E. Jan （ ed. ） （ 1977 ） *Encyclopedia of the United Nations and international Agreements.* Philadelphia: Taylor and Francis, p.126.

Qureshi, N. （ 1980 ） "Comparative and international librarianship: an analytical approach". *UNESCO Journal of Information, Librarianship and Archives Administration.* 2(1):22-28.

Wedgewort, R. （ ed. ） （ 1986 ） *ALA world encyclopedia of library and information services* （ 2nd ed. ） . Chicago: American Library Association.

The World of learning. （ 1992 ） London: Allen & Unwin.

第六章　結論與建議

　　本章分爲兩節：第一節是結論；第二節是建議。結論部分將針對以上各章做個總結。另外，對國內比較圖書館學的發展，筆者提出五點建議，分述於後。

第一節　結　　論

　　比較圖書館學的發展在西方可溯至1950年代，但如以我國程伯群先生於民國24年即已出版比較圖書館學的論著而言，猶早於西方對此學科的發展十多年。只可惜自程伯群先生以後，此學科的發展在我國或是大陸都已中輟數十年，殊爲可惜。此學科自1950年代以後在歐美等國學者相繼發表論著，尤其以1970年代是此學科的黃金時代。此學科歷經四十餘年的發展成爲圖書館學領域中的一個分支學科。其他學科的比較研究如：比較教育、比較語言學等學科都超過百年以上的歷史。比較圖書館學與之相較，只能算是一門年輕的學科。以LISA所發表的文章而言，最近十年來發表與比較圖書館學理論有關的文章已十分罕見，以實際的比較文章居多，是否意謂著此學科的理論已定型，因而在此方面無法有所突破。實際的比較以兩國間的圖書館事業比較爲多。

　　雖然在歐美等國對比較圖書館學的研究已日趨沒落，但在大陸方面對此學科的研究卻是方興未艾。自1980年代開始，大量翻譯西方的論著，在1980至1990年十年間已有47人從事這方面的研究，共計有59篇文章發表。在數量可謂十分豐盛。在教學方面，已有武漢大學、北京大學、南開大學、湘潭大學、南京大學、中山大學等校開設比較圖書館學課程，可見得對此學科之重視。反觀國內，雖然早自民國61年於文化大學史學研究所已開設此課程，但在圖書館系所中一直未佔有重要地位。直到近年來，在臺灣大學圖書館學研究所博士班、淡江大學教育資料科學研究所碩士班相繼開設此課程，對此學科的研究逐漸重視。總計遷臺以來，在國內發表與比較圖書館學有關的論著，共有14人，15篇。以四十多年的時間，僅有如此的成績實感不足。國內在此學科的研究實需急起直追。

比較圖書館學與國際圖書館學兩者之間常易混淆，不易劃分。早期對這兩門學科常有爭議，究竟是比較圖書館學包括國際圖書館學，還是國際圖書館學包括比較圖書館學，抑且是兩者並列，莫衷一是。國內圖書館系所開設此課程仍以比較圖書館學為名稱。國外部分，較傾向於以「國際與比較圖書館學」或以與國際圖書館學有關的名稱為課程名稱。

第二節 建 議

對於國內發展比較圖書館學，筆者有五項建議，分述於後。

（一） 圖書館系所開設相關課程

目前國內開設比較圖書館學課程大都在碩士班以上，如：臺

灣大學開設在博士班、淡江大學在碩士班、文化大學史學研究所
在碩士班。筆者建議臺大及民國83年即將成立的輔仁大學圖書
資訊研究所碩士班也開設比較圖書館學課程，讓更多人參與此學
科的研究。此外，在大學部大都未開設此類課程，爲讓大學部學
生對國際圖書館事業有所了解，不妨在大學部四年級先開設國際
圖書館學課程。由於國際圖書館學是研究比較圖書館學的基礎學
科，如能在大學部先行開設此類課程，讓大學部學生對國際上其
他國家的圖書館事業有初步的了解，並進而產生興趣。如進一步
就讀研究所，將可做進階的研究。此外，由於資訊科技的進展，
尤其是國際網路的使用已使得國際間的交流日益頻繁。在此情況
下，大學部學生具備有國際圖書館事業的知識已是不可或缺的項
目，讓大學部學生具備有國際的視野，以擴展其專業知識的廣
度。

（二） **培育師資**

　　比較圖書館學或國際圖書館學的教學最困難的是師資的聘
請。由於比較圖書館學或是國際圖書館學需涉及外國的圖書館事
業，如屬英語系國家，語文尚可溝通。英語系以外的國家，如：
法國、德國、西班牙、葡萄牙、俄羅斯、阿拉伯、伊朗等國，由
於語文的隔閡，如要進行研究勢必涉及原始資料的蒐集及閱讀等
問題。因而最理想的師資是具有這些國家的語文能力，或曾居住
於上述的國家。然而，國內的學生留學的國家仍以美國或英語語
系國家爲主。如未能解決此問題，此學科的師資問題仍舊存在。
解決的方式之一是鼓勵學生選修第二外語爲輔系，畢業後再到國
外留學。取得學位後，將是最佳的師資。

（三）　與國外師資交流

上述培育師資的建議因有其困難存在，如未能有效解決之前，另外一種方式是採師資交流。目前國內大學與國外的大學大多有姊妹校關係的建立，如能透過姊妹校的關係與國外開設圖書館系所的大學交換教師，對國外圖書館學與資訊科學的了解亦有很大的助益。如能與非英語系的國家交換教師，對這些國家的了解將更有幫助。

（四）　出版專書或刊物

大凡對一種學術的推展最重要的是專業的圖書出版或是專業期刊的發行。國內對比較圖書館學雖有數篇文章發表，但尚未有專書對該學科做有系統的介紹。本書只係拋磚引玉，冀望能有更多的專書出版。此外，國內目前雖有多種圖書館專業的刊物，但未有專門報導比較圖書館學或是國際圖書館學的刊物。如能有某種刊物將其範圍界定在此方面，將能更有系統的介紹相關的理論及對國際圖書館事業有所了解。同時亦可避免國內圖書館學的刊物同質性太高的困擾。

（五）　加強與大陸圖書館系所交流

大陸在比較圖書館學的研究起步雖晚於國內，但自1980年代開始急起直追，目前已有多所圖書館系所開設比較圖書館學的課程。以海峽兩岸四十年來的分隔，目前兩岸間開始有聯繫，但仍限於少數人士的往還。為促進兩岸彼此間對圖書館與資訊科學教育及圖書館事業的了解，以吸收彼此間的長處，可藉由兩岸研

究比較圖書館學的人士互訪，以交換彼此教學、研究的經驗。相
信對海峽兩岸在比較圖書館學的研究有所助益。

參 考 書 目

一、中文書目

* 依出版年代順序排列

程伯群（民24）**比較圖書館學**　上海:世界書局。

李志鍾（民61）**美國圖書館業務**　臺北市:遠東圖書。

馮正良譯（民64）**國際比較圖書館學論**　臺北市:慧明文化事業公司39頁。

楊國賜（民64）**比較教育方法論**　臺北市：正中。

郭麗玲（民67）**中美圖書館教育之比較研究**　新竹市:楓城。

嚴文郁（民68）「論比較圖書館學」**輔仁大學耕書集**　68年10月29日.

郭成棠（民69）**美國圖書館事業的成就和趨勢**　臺北市:淡江學院出版部。

龔厚澤譯（1980）J. P. Danton 著**比較圖書館學概述**　北京市:書目文獻.

吳則田譯（1981）美·林瑟菲著「國際圖書館學與比較圖書館學」**圖書館工作與研究**　1:22-25。

倪波、荀昌榮編（1981）「比較圖書館學」在:**理論圖書館學教程**　天津:南開大學出版社頁301-330。

劉迅（1981）「圖書館學研究中的方法初探」**圖書館通訊**　4:26-

。

柯平（1982a）「比較圖書館學的產生及其發展」圖書館學刊
　　　4:35-.

柯平（1982b）「談談比較圖書館學的研究方法」贛圖通訊　3:41-
　　　。

陳傳夫（1982）「國外比較圖書館學簡述」圖書館研究與工作
　　　2:18-。

黃端儀著（民71）國際重要圖書館的歷史和現況　臺北市:臺灣學
　　　生。

劉迅（1982）「比較圖書館學」圖書情報工作　1:36-。

沈煜峰（1983a）「比較圖書館學教育論」圖書館工作與研究
　　　4:13-。

沈煜峰（1983b）「試論比較圖書館學的研究對象」圖書館工作與
　　　研究　4: 23-。

陳傳夫（1983）「倡導創立中國式的比較圖書館學理論」圖書館
　　　研究　5:32-38。

張倫（1983）「在前進中比較在比較中前進」書刊資源利用
　　　1:58-。

周啟付（1983a）「什麼是比較圖書學」圖書館界　1-2:80-。

周啟付（1983b）「爲什麼要研究比較圖書館學」圖書館學研究
　　　5:28-。

王賀彤譯（1984）（美）庫萊西·奈繆丁著「比較圖書館學和國際
　　　圖書館學:一種分析方法」青海圖書館　2:33-.

李正耀（1984）「比較圖書館學的研究方法」圖書館學研究
　　　2:13-。

林德尤（1984）「比較圖書館學的產生及其意義」福建省圖書館
　　學會通訊　4::8-。

周啟付（1984）「怎樣研究比較圖書館學」四川圖書館學報　1:9-
　　12.

孫文浩編譯（1984）「比較圖書館學」寧夏圖書館通訊　2:68-。

陳傳夫（1984）「略論圖書館學比較研究的基本原則」圖書與情
　　報4:26-。

陳豫（民73）「談比較圖書館學」耕書集　73年4月30日7版。

劉耀靈、方子麗編譯（1984）「比較圖書館學淺說」圖書館學研
　　究2:15-。

竹內愨、司香復編譯（1985）「論比較圖書館學—理查德克爾齊
　　的觀點」國外圖書情報工作　1:1-。

張力平（1985）「比較圖書館學簡介」贛圖通訊　2:6-。

張靖安（1985）「開拓比較圖書館學的研究範疇」圖書館學通訊
　　6:5-。

曾琤譯（1985）「比較圖書館與不發達國家」廣東圖書館學刊
　　2:51-。

王釘著, 王引娣譯（1986）「"比較圖書館學:研究述略」陝西圖書
　　館2-3: 104-6, 99。

周俊摘譯（1986）「比較圖書館事業研究方法論」廣東圖書館季
　　刊2:8-。

錢建國（1986）「當前比較圖書館學研究狀況」圖書館工作與研
　　究4:21-。

鍾守真、倪波（1986）「比較圖書館學導論」津圖學刊　2:129-
　　138.

謝彩瓊（1986）「日本和印度科學著作發表的計量比較」**書刊資源利用** 1: 45-。

蕭永英（1986）「試論比較圖書館學的目的和意義」**圖書館** 5:18-22。

文南生（1987）「試論比較圖書館學」**圖書館學研究** 2:1-。

王紅、毛惠（1987）「淺談比較圖書館學的定義和學科範疇」**河南圖書館學刊** 3 :1-。

朱定華（1987）「試論比較圖書館學的研究對象和方法」**安徽高校圖書館** 1-2::4-。

李正祥（1987）「比較圖書館學的研究及其意義」**雲南圖書館** 4:11-。

吳慰慈（1987）「論比較圖書館學的特徵、目的、內容、和方法」**大學圖書館通訊** 1:14-19。

吳彭鵬譯（1987）布沙與哈特原著**圖書館學研究方法—技術與闡述**北京市：書目文獻。

吳慰慈（1987）「論比較圖書館學的特徵、目的、內容、和方法」**大學圖書館通訊** 1:14-19。

余慶蓉（1987）「論比較方法和比較圖書館學」**圖書館** 3:20-2。

邱卓英（1987）「有關世界圖書館事業發展的一些因素的比較研究」**圖書館學研究** 6:75-77。

林清江等著（民76）**比較教育** 4版台北市:五南。

張天俊（1987）「從比較說開去：也談比較圖書館學的一些理論問題」**四川圖書館學報** 1:15-19。

張俊濱（1987）「比較圖書館學方法論」**廣東圖書館學刊** 3:44-
。

程磊（1987）「關于"比較圖書館學"的困惑」圖書館工作與研究
　　2:20-。

蘇國榮（民76）「比較圖書館學簡介」臺灣輔導月刊　37(4):11-
　　13。

王志華（1988）「"關于'比較圖書館學'的困惑"一文的幾點看法」
　　圖書館工作與研究　4:31-。

張靖安（1988）「關于比較圖書館學研究現況的思考」圖書界
　　4:4-。

舒志紅（1988）「我國比較圖書館學研究綜述」湖北高校圖書館
　　（武漢大學）　3:15-17。

鄭挺（1988）「概論比較圖書館學」圖書館理論與實踐　1:9-。

劉景會（1988）「談談比較圖書館學的資料開發問題」圖書館學
　　研究　1:14-15。

謝薇薇（1988）「試析我國比較圖書館學研究發緩慢之原因」高
　　校圖書館工作　4:7-。

竹內悊著高曼、楊首茹編譯（1989）「關于比較圖書館學」河北
　　圖苑　2::37-。

佟富（1989）「比較圖書館學綜述」圖書館學通訊　2:40-45.

林瑟菲（1989）「國際圖書館學與比較圖書館學」圖書館工作與
　　研究　1:22-25.

馬秀萍姜洪良譯（1989）「比較圖書館學與國際圖書館學」圖書
　　館學刊　4: 6-7。

徐金芬（民78）「比較與國際圖書館學英文期刊選介」圖書館學
　　與資訊科學　15(2):215-220。

楊國樞等編（民78）社會及行爲科學研究方法　上冊臺北市：東

華。

歐用生（民78）質的研究　臺北市：師大書苑。

蕭力（1989）「比較圖書館學研究現狀綜述」大學圖書館學報
　　　2:28-35.

王文科著（民79）教育研究法　增訂初版臺北市：五南。

李淑玲（民79）美英兩國國家圖書館之比較研究　臺北市:漢美圖
　　　書公司。

林清江主編（民79）比較教育　七版臺北市：五南。

徐金芬（民79）「比較與國際圖書館學研究方法之探討」圖書館
　　　學與資訊科學　16(1):60-79.

陳敏珍（民79）美國圖書館學會與英國圖書館學會對圖書館事業
　　　發展之比較研究　臺北市:漢美圖書公司。

蕭力譯（1990）「比較圖書館學：一門理論學科」大學圖書館學
　　　報1:51-57。

吳明清（民80）教育研究：基本觀念與方法之分析　臺北市：五
　　　南。

周文駿、邵獻圖編（1991）圖書館學情報學詞典　北京:書目文獻
　　　出版社。

徐南號譯（民80）沖原豊著「比較教育學的研究方法」在:比較教
　　　育學　臺北市:水牛頁107-125。

黃學軍（1991a）「十年來我國比較圖書館學研究述評」圖書館
　　　第6期:14-19.

黃學軍（1991b）「比較圖書館學發展述略」圖書館員　6:42-44,
　　　48.

王梅玲（民81）「美英兩國圖書館自動化之比較」書苑　14:25-

55。

吳文侃、楊漢清主編（民81）**比較教育學**　臺北市：五南。

陳仲彥（民81）「比較圖書館學概述」**社會教育學刊**　21:283-
　　299。

張安明（民81）「圖書館資料重製行爲與著作權保護初探：兼談中
　　美著作權法相關係文比較」**中國圖書館學會會報**　49:261-
　　271

傅雅秀（民81）「比較與國際圖書館學概説」**國立中央圖書館館
　　刊**25(2):3-2。

傅雅秀（民82）「圖書館學研究的趨勢與問題」**國立中央圖書館
　　台灣分館館訊**　12:18-27。

蔡金燕（民82）**兩岸圖書館學教育之比較研究**　文化大學碩士論
　　文。

薛理桂（民82）**英國圖書館事業綜論**　臺北市：文華。

二、西文書目

＊依出版年代順序排列

1939

Munthe, W.（1939）*American librarianship from a European
　　angle.* Chicago : American Library Association.

1954

Dane, C.（1954a）"Comparative librarianship." In: D. J. Foskett
　　（ed.）（1976）*Reader in comparative librarianship.*

Englewood, Colorado : Information Handling Services, pp. 23–25.

Dane, C. （1954b）"The benefits of comparative librarianship." *Australian Library Journal.* 3(3): 89–91.

Dane, C. （1954c）"Comparative librarianship" *Librarian.* 43(8): 141–144.

1963

McNiff, P. J. （1963）"Foreign area and their effect on library development." *College & Research Library* 24(4): 291–296; 304–5.

Thompson, A. （1963）*Library buildings of Britain and Europe.* Butterworth.

1964

Bereday, G. Z. F. （1964）*Comparative method in education.* Holt.

Plumbe, W. J. （1964）*The preservation of books in tropical and subtropical countries.* OUP.

White, C. M. （1964）*Bases of modern librarianship.* London: Pergamon Press.

1965

Foskett, D. J. （1965a）"Comparative librarianship" *Library World.* 66 （780）: 295–298.

Foskett, D. J. (1965b) "Comparative librarianship" *Progress in Library Science.* pp. 125-146.

Sharify, N. and Piggford, R. R. (1965) "First institute on international comparative librarianship." *PLA Bull.* 21(2): 73-80.

1966

Hagger, J. (1966) *Public library service in Victoria.* Bennett.

Shores, L. (1966) "Why comparative librarianship?" *Wilson Library Bulletin.* 41:200-206.

1967

Bereday, G. Z. F. (1967) "Reflections on comparative methodology in education 1964-1966." *Compa Educ* 3(3):169-187.

Campbell, H. C. (1967) *Metropolitan public library planning throughout the world.* London:Pergamon.

1968

Benewick, A. (1968) "The American library and area studies." *Library Association Record* 70(5):117-119.

Fraser, S. E. & Brickman, W. W. (1968) *A history of international and comparative education.* Scott, Foresman & Co.

Hassenforder, J."(1968) Comparative studies and the development of public libraries." *Unesco Bul Lib* 22(1):13-19.

1969

Harrison, K. C. (1969) Libraries in Scandinavia. (2nd ed.)
Deutsch.

1970

Campbell, H. C. (1970) "Internationalism in US library school
curricula." *International Library Review* 2(2):183-186.

Danton, J. P. (1970) "Review of handbook of comparative li-
brarianship." *Library Quarterly* 40(4): 449-450.

Sable, M. D. and Deya, L. (1970) "Outline of an introductory
course in international and comparative librarianship."
International Library Review. 2(2):187-192.

1971

Collings, D. G. (1971) "Comparative librarianship." In: Kent, A.
& Lancour, H. (eds.) *Encyclopedia of Library &
Information Science.* v.5 New York: Marcel Dekker, pp.492-
502.

1972

Harvard-Williams, P. (1972) "International librarianship."
UNESCO Bulletin for Libraries. 26:64.

Thompson, A. (1972) "Towards international comparative li-
brarianship." *Journal of Librarianship.* 4(1):57-69.

1973

Burnett, A. D. （et al.）（1973）Studies in comparative librarianship. London: Library Association.

Danton, J. P. （1973）*The dimensions of comparative librarianship.* Chicago: ALA.

Harvey, J. F. （1973）"Toward a definition of international and Comparative library science." *International Library Review.* 5(3):289-319.

1974

Krzys, R. （1974）"International and comparative study in librarianship : research methodology." In Kent A. et al. （eds）. *Encyclopaedia dia of library and information science,* vol.12. New York:Dekker, pp.325-343.

Parker, J. S. （1974）"International librarianship: a reconnaissance ." *Journal of Librarianship.* 6:219-232.

Simsova, S. （1974）"Comparative librarianship as an academic subject." *Journal of Librarianship.* 6(2)：115-125.

1975

Simsova, S. & Mackee, M. （1975）*A handbook of comparative librarianship.* rev. ed. London: Linnet Books & Clive Bingley.

1976

Akinyotu, A. （1976）"A comparative study of education for librarianship in West Africa." *International Library Review.* 8:493-513. Foskett, D. J. （ed.）（1976）*Reader in comparative librarianship.* Colorado: Information Handling Services.

1977

Aman, M. M. （1977）"Comparative and international bibliography."In J. F. Harvey pp. 221-256.

Boaz, M. （1977）"The comparative and international library science course in American library schools." In: J. F. Harvey （ed.）*Comparative & international library science.* Metuchen: Scarecrow, pp.167-180.

Danton, J. P. （1977）"Definitions of comparative and international library science." In: J. F. Harvey （ed.）*Comparative & international library science.* N. J.: Scarecrow Press, Inc., pp. 3-14.

Foskett, D. J. （1977a）"Palabras: a decade of comparisons." In: Burnett , D. & Cumming, E. E. （eds.）*International library and information programmes: proceedings of the tenth anniversary conference of the International and Comparative Librarianship Group of the Library Association.* London: LA, pp.8-19.

Foskett, D. J. （1977b）"Recent comparative and international studies in non-library field." In Harvey, J. F. （ed.）*Comparative & international library science.* N.J.: Scarecrow

Press, pp.15-30.

Harvey, J. F. (ed.) (1977) *Comparative & international science*. N.J.: Scarecrow Press.

Kaser, D. (1977) "International Organization." In J. F. Harvey (Ed .) , *Comparative and international Library science*. Metuchen, N. J. : Scarecrow Press, pp.39-47

Kotei, S. I. A. (1977) "Some variables of comparison between developed and developing library systems." *International Library Review*. 9:249-267.

Munford, W. A. (1977) "The American Library Association and the Library Association: retrospect, problems, and prospects." *Advances in Librarianship*. 7:145-176.

Schick, F. L. (1977) "Problems of research in comparative and International library science." In Harvey (1977) , pp.31-36.

Sievanen-Akkebm R. (1977) "Comparative librarianship: a Scandinavian view" *Focus on International and Comparative Librarianship*. 8:20.

1978

Foskett, D. J. (1978) "How to make sure that comparisons are not odious." *Library Association Record*. 8(1):11-17.

Sable, M. H. (1978) "Language problem in comparative and international librarianship." *Herald of Library Science* 17 (2-3) :139-141.

1979

Dickson, A. J. （ 1979 ） "Librarians and the language barrier."
Aslib Proceedings. 31 （ 11 ）:488-494.

Foskett, D. J. （ 1979a ） *Introduction to comparative librarianship.* Bangalore: Sarada Ranganathan Endowment for Library Science.

Foskett, D. J. （ 1979b ） "Palabras: a decade of comparisons." In: D. Burnett and E. E. Cumming （ eds. ） *International library and information programmes: proceedings of the tenth anniversary conference of the International and Comparative Librarianship Group of the Library Association.* University of Loughborough, September 23rd-25th, 1977 London: Library Association, pp.8-19.

Haslam, D. （ 1979 ） The Library Association and international relations. *Herald of Library Science.* 16(4):380-390.

Marshall, D. N. （ 1978-79 ） Comparative librarianship. *Timeless Fellowship.* 12:57-59.

Rayward, W. B. （ 1979 ） "The literature of international and comparative librarianship." In Lee, J. M. and Hamilton, B. A. （ Eds ） . *As much to learn as to teach: essays in honour of Lester Ashiem.* Hamden, Conn.:Linnet Books, pp.217-235.

Spiller, D. （ 1979 ） "International organizations and their effect upon the libraries of development countries." *International Library Review.* 11(3):341-351.

Whateley, A. （ ed. ） （ 1979 ） *International and Comparative*

Librarianship Group Handbook. London: Library Association.

1980

Busha, C. H. and S. P. Harter（1980）*Research methods in librarianships : Techniques and interpretation.* New York: Academic Pr.

Fang, J. R. & Songe, A. H.（Eds.）（1980）*International guide to library, archival, and information science associations*（2nd ed.）. New York: R. R. Bowker.

Qureshi, N.（1980）"Comparative and international librarianship: an analytical approach." *Unesco Journal of Information Science, Librarianship and Archives Administration.* 2(1):22-28.

1981

Fang, J. R.（1981）"International and comparative librarianship: a current assessment." In *The Bowker Annual of Library and Book Trade Information.* New York : Bowker, pp.372-374.

Jackson, M. M.（1981）" The usefulness of comparative librarianship in relation to non-industrialized countries." *IFLA Journal.* 7(4):339-344.

1982

Baark, E.（1982）"Appropriate information technology: a cross-cultural perspective." *Unesco Journal of Information Science, Librarianship and Archives Administration.* 4(4):263-268.

Jackson, M. M. (1982) "Comparative librarianship and non-industrialized countries." *International Library Review.* 14(2):101-106.

Simsova, S. (1982) *A primer of comparative librarianship.* London: Clive Bingley.

1983

Krzys, R. (1983) "Research methodology: A general discussion." In R. Krzys & Gaston Litton (eds) *World Librarianship: A Comparative Study.* New York: Marcel Dekker.

Krzys, R. & Litton, G. (1983) "World study in librarianship." In: R. Krzys, G. Litton & A. Hewitt (ed.) (1983) *World librarianship: a comparative study.* New York: Marcel Dekker, pp.3-26.

Krzys, R., Litton, G. & Hewitt, A. (1983) *World librarianship: a comparative study.* New York: Marcel Dekker.

Mackee, M. (1983) *A handbook of comparative librarianship.* (3rd ed.) London:Bingley.

Rooke, A. (1983) "Assessment of some major journals of international /comparative librarianship." *International Library Review.* 15(3): 245-255.

1985

Asheim, L. E. （1985） "International values in American librarianship." *The Journal of Library History, Philosophy & Comparative Librarianship.* 20:186-195.

Collinge, A. G. & Maynard, C. （1985） " The Tucson-Christchurch library exchange." *Public Library Quarterly.* 6:57-63

Cooper, J. （1985） "The governing role of university library committees in British and Canadian univerityies." *Journal of Librarianship.* 17(3):167-184.

Hanson, R. & Hanson, M. （1985） "A working exchange: New Zealand librarians visit Tucson Public Library." *Public Library Quarterly.* 6:53-62.

Harker, J. （1985） "The Oxford/Oklahoma 1985 library seminar." *Library Association Record* 87:335.

Powell, R. R. （1985） *Basic research methods for librarians.* Norwood, N. J.: Ablex Pub.

Wang, C. （1985） "A brief introduction to comparative librarianship. " *International Library Review.* 17:107-115.

White, B. （1985） "Planning and performance in public libraries --the U.S. and the U.K. experience." *Public Libraries.* 24:156-9.

1986

Clow, D. （1986） "British-based research in international and comparative librarianship." In: I.A. Smith （ed.）

Developments in international and comparative librarianship. Birmingham: International and Comparative Librarianship Group of the Library Association, pp.103-122.

Dixon, D. (1986) "The international perspective of British schools of library and information studies." In: I.A. Smith (ed.) *Developments in international and comparative librarianship.* Birmingham: International and Comparative Librarianship Group of the Library Association, pp.65-74.

Smith, I. A. (1986) (ed.) *Developments in international and comparative librarianship 1976-1985.* Birmingham: International and Comparative Librarianship Group of the Library Association.

Walker, M. (1986) "The International and Comparative Group 1977-1985." In: I.A. Smith (ed.) *Developments in international and comparative librarianship 1976-1985.* Birmingham: International and Comparative Librarianship Group of the Library Association, pp.3-14.

Wedgewort, R. (Ed.) (1986) *ALA world encyclopedia of library and information services* (2nd ed.) . Chicago: American Library Associiation.

1987

Bracey, R. (1987) "Ontario and Western Australian secondary school libraries: a comparison, and some personal observations." *School Libraries in Canada.* 7:40-45.

Danton, J. P. （1987）"University library book budgets, 1860, 1910, and 1960 （in Germany and the United States）." *The Library Quarterly*. 57:284–302.

Horne, E. E. （1987）"International comparison and problems in the application of information technology to information services." *The Reference Librarian*. 17:23–44.

Ito, M. （1987）"Academic libraries in Australia and Japan." *International Library Review*. 19:3–14.

Kawatra, P. S. （ed.）（1987）*Comparative and international librari- anship*. New York: Envoy Press.

Kinnell, M. （1987）"Cross-cultural futures: research and teaching in comparative children's literature.' *International Review of Children's Literature and Librarianship*. 2:161–173.

Kumar, P. S. G. （1987）"Compartive librarianship: a theoretical approach." In: Kawatra, P. S. （ed.）*Comparative and international librarianship*. New Delhi: Sterling Publishers, p.6.

Olaisen, J. L. （1987）"Library education and research in the Soviet Union compared with Scandinavia." *International Library Review*. 19:119–142.

Paulin, M. A. （1987）"School libraries and reading in Australia: more similarities than differences." *Ohio Media Spectrum*. 39:28–32.

Reade, J. G. （1987）"Training for school library professional: views from both sides of the Atlantic." *Canadian Library*

Journal. 44(2):97-104.

Ring, D. F. ﹙1987﹚"Some speculations on why the British library profession didn't go to war ﹙varying response of British and American libraries to World War I﹚" *The Journal of Library History , Philosophy & Comparative Librarianship.* 22:249-271.

Schnelling, H. ﹙1987﹚"Online public access catalogues in the and West Germany-present and future trends." *Journal of Librarianship.* 19(4):244-257.

1988

Alqudsi-Ghabra, T. ﹙1988﹚"Librarianship in the Arab world." *International Library Review.* 20:233-45.

Bonta, B. D. ﹙1988﹚"An American in Peru." *Library Journal.* 113 :45-49.

Bowman, R. J. ﹙1988﹚"Library technicians under and over ﹙in Australia and Canada﹚" *Canadian Library Journal* 45:229-33.

Carpenter, R. L. ﹙1988﹚"Librarianship, education and service ﹙automated library systems in the United States and Europe﹚" *International Library Review.* 20:127-134.

Chaudhry, A. S. ﹙1988﹚"Information science curricula in graduate library schools in Asia." *International Library Review.* 20:185-202.

Crawford, D. S. & Xiong, D. ﹙1988﹚"Report of a cooperative

venture between the China Medical University Library and the Medical Library of McGill University." *Bulletin of the Medical Library Association.* 76:64-72.

McConkey, J. （ 1988 ） "French university libraries in 1988." *College & Research Libraries News.* 49 （ 11 ） :739,741-763.

Nofsinger, M. M. （ 1988 ） "Academic libraries in Sichuan Province: an American librarian's perspective." *The Journal of Academic Librarianship.* 13:353-6.

Siitonen, L. （ 1988 ） "Advancing optical disc technology for social sciences in non-high tech societies." INSPEL 22(1):70-83.

1989

Carleton, P. （ 1989 ） *Library development and international assistance in six southern African countries.* Thesis （ MSLS ） Univ of NC at Chapel Hill.

Connor, J. J. （ 1989 ） "Medical library history: a survey of the literature in Great Britain and North America." *Libraries & Culture.* 24:459-474.

Henty, M. （ 1989 ） "Performance indicators in higher education libraries （ in Australia, Great Britain and the U.S. ） " *British Journal of Academic Librarianship.* 4(3):177-191.

McCrossan, J. A. （ 1989 ） "Schools of library and information science in the United States and the United Kingdom: a comparison." *Journal of Educational Media & Library Sciences.* 26(4):316-324.

Morgan, M. G. （1989）"Librarianship in Israel." *Library Association Record.* 91:464+.

Mullins, J. L. （1989）"Faculty status of librarians: a comparative study of two universities in the United Kingdom and how they compare to the Association of College and Research Libraries standards." IN *Academic librarianship, past, present, and future.* Libraries Unlimited, pp67-78.

Murry, J. A. H. et al. （1989）*The Oxford English dictionary.* 2nd ed. v.3 Oxford: Oxford University Press.

Razdan, A. K. （1989）"Comparative and international librarianship." *Herald of Library Science.* 28:254.

Sturges, R. P. （1989）"The use of comparative data in librarianship: an Anglo-French case study, 1848-1850." *Libri.* 39:275-283.

1990

Balnaves, J. （1990）"Ethics and librarianship [in the United States, Britain and Australia]" IN *The Education and training of information professionals.* Scarecrow Press,pp.227-245.

Bonk, S. （1990）"Interlibrary loan and document delivery in the United Kingdom." *RQ* 30(2):230-240.

Fand, J. R. （et al.）（1990）*World guide to library, archive, and information science associations.* Munchen: K. G. Saur.

Gorman, G. E. （1990）"Teaching serials librarianship in Australia." IN *The Education and training of information professionals.* Scarecrow Press, pp3-27.

Green, P. R. （1990a）"A comparison of binding styles and usage levels of engineering titles at Leeds and Cornell universities." *Collection Management.* 13(4):65-76.

Green, P. R. （1990b）"A comparison of serials administration routines at Cornell and Leeds Universities in the engineering collections."*Serials Librarian.* 18（3/4）:139-145.

Higuchi, K. （1990）"A Delphi study on the future of academic libraries."Library and Information Science. 28:21-59.

Horvat, A. （1990）"References in European cataloguing codes and IFLA guidelines for authority and reference entries." In *Bibliographic access in Europe.* Gower, pp256-261.

Kaul, H. K. （1990）"Library networks in UK and Spain: the projections for India." *Herald of Library Science.* 29:179-192.

Loe, M. （1990）"Book culture and book business: the UK vs the U.S. "*The Journal of Academic Librarianship* 16:4-10.

Nagakura, M. （1990）"Attitudes of school librarians toward networking and teacher utilization; a comparative study of ten countries." IN *The School library program in the curriculum.* Libraries Unlimited, pp.133-6.

Prytherch, R. （comp.）（1990）*Harrod's librarians' glossary: of terms used in librarianship, documentation and the book crafts and reference book.* 7th ed. Hants: Gower.

Saiful-Islam, K. M. （1990）"Public library systems and services in Great Britain and Bangladesh." *Herald of Library Science.* 29:163-172.

Still, J. M. (1990) "An American librarian in Oxford." *The Southeastern Librarian.* 40:171-173.

Ward, P. L. (1990) "The growth of research in British and Australian library schools." IN *The Education and training of information professionals.* Scarecrow Press, pp289-301.

1991

Brewin, C. K. (1991) "An American librarian in Kuwait." *College & Research Libraries News.* 4:226-8.

Cheng H. W. (1991) "The impact of American librarianship on Chinese librarianship in modern times (1840-1949) ." *Libraries & Culture. 26:372-387.*

Edwards, A. J., Meadows, Susan E. (1991) "A visiting scholar from the People's Republic of China.' *Medical Reference Services Quarterly* 10:39-47.

Groen, F. (1991a) "The changing role of the hospital librarian: Canadian and US comparisons." *Bibliotheca Medica Canadiana. 12*(3):*144-150.*

Groen, F. (1991b) "A comparative review of medical library networking in Canada and the United States." *Health Information and Libraries.* 2(3):111-118.

Imhoff, K. R. (1991) "Looking across the ocean: adult service in British public libraries." *RQ* 30:333-6.

Johnson, I. M. （1991）"The development of library technicians: a review of experience in selected countries." *IFLA Journal.* 17 (3):256 -65.

Jones, C. A. （1991）"Soviet libraries in transition." *Bulletin of the Medical Library Association.* 79(3):326-327.

Koren, J. （1991）"Towards an appropriate image for the information professional: an international comparison." *Libri.* 41(3): 170-182.

Lai, T. M. （1991）"A comparative study of the use of the academic libraries by undergraduates in the United States and Taiwan." *Journal of Library & Information Science.* 17:52-63.

Lee, C. C. （1991）"American presidential libraries: a model for establishing presidential libraries in the Republic of China." *Journal of Library & Information Science.* 17:36-51.

McAulay, K. E. （1991）"... but how do I tell them?" （teaching BI librarians how to teach in Great Britain and America） *Personnel Training and Education.* 8(3):56-64.

Patel, J. （1991）"Evaluation techniques and methods in library science: a selected review of the literature and a proposed study of the effects of student performance evaluation in library education in UK and USA." *Herald of Library Science.* 30:159-167.

Sami, L. K. （1991）"Comparative librarianship." *CLIS Observer* 8（3+4）:3-6.

1992

Auren, B. （1992）"Public libraries in the Nordic countries--a comparative study （ on the economic and functional similarities and differences ） " *Scandinavian Public Library Quarterly* 25(2):4-7.

Feather, J. （1992）"Professional qualifications: the European dimension." Public Library Journal 7:1-6.

Jowkar, A. （1992）"A comparison between the competencies deemed necessary for teacher-librarians in Iran and those suggested by librarians from developing countries." *Aslib Proceedings* 44:323-327.

Liu, Z. （1992）"A comparative study of library and information Science education: China and the United States." *International Information & Library Review.* 24(2):107-118.

Miido, H. （1992）"Use of medical library systems: geographic analysis." *Electronic Library* 10(1):27-32.

Obiagwu, M. C. （1992）"Library abuse in academic institutions: a comparative study." *International Information & Library Review.* 24:291-305

Stoica, I. （1992）"The education of librarians: notes and opinions resulting from visits to some library schools （ in the UK, France and Germany; lessons for Romania ） " *IFLA Journal.* 18(4):357-360.

Villanueva, E. （1992）"The provision of legal and economic

information to the public in some European Community countries." *IFLA Journal* 18(4):361-3.

1993

Byberg, L.（1993）"Public library development in Norway in the early twentieth century: American influences and state action." *Libraries & Culture.* 28:22-34.

Cullen, R. & Calvert, P. J.（1993）"Further dimensions of public library effectiveness: report on a parallel New Zealand Study." *Library & Information Science Research.* 15:143-164.

Greguletz, A.（1993）"Possibilities and limitations of adapting the Scandinavian public education model in Germany at the beginning of the twentieth century." *Libraries & Culture.* 28:55-58.

Kaegbein, P. & Torstensson, M.（1993）"The history of reading and libraries in the Nordic countries: proceedings of an International seminar, 16-17 August 1990, Stadsbibliotek Vasteras, Sweden." *Libraries & Culture.* 28:1-76.

Nawe, J.（1993）"The realities of adaptation of western Librarianship to African situation." *African Journal of Library, Archives & Information Science.* 3:1-9.

Still, J. M.（1993）"How online is taught in British and American library schools." In: *National Online Meeting*（*14th: 1993: New York, N.Y.*）. *14th National Online Meeting.* Learned Information pp409-13.

附錄一：比較圖書館學課程大綱

（Danton，1973：159—166；龔厚澤譯，1980：122—130）

第一部分 緒 論

一、定 義

比較圖書館學；國際圖書館學；外國圖書館學；區域研究；
跨社會、跨國家因素。

二、範圍與限制

1. 描述、分析經過選擇的國家或社會的圖書館體制或體制的組
   成部分，它們的發展、地位和問題：
   a. 某一國家或社會圖書館學的區域研究；
   b. 選擇專題的比較研究。
2. 圖書館發展的潛力分析。
3. 國際圖書館合作的問題（見第六部分）：
   a. 機構；
   b. 活動與成就，出版品；
   c. 問題與障礙。

4. 比較研究的限制。

三、目標、目的與價值

1. 發現、解釋兩個或更多社會同類圖書館情況間的差異。（C*）

2. 經由蒐集到的資料，研究所選擇的國家圖書館系統之發展和地位，以及這些國家圖書館的問題。（S**）

3. 將這種發展和地位與歷史、社會、經濟、政治、地理等有關因素聯繫起來。（S）

4. 對圖書館問題提供分析與解決。（C）

5. 協助圖書館規劃。（C）

6. 促進吸取或改進更好的作法和技術。（C）

7. 為國外工作和研究提供有用的資訊。（S）

8. 加強圖書館教育課程的內容。（C）

9. 對本國圖書館系統和問題有更深入的了解。（S）

10. 協助發展圖書館系統及問題的比較研究所需的資料和技術。（C）

11. 協助增進圖書館發展中更好的國際了解和合作。（C）

12. 指出國內外那些領域需要更進一步發展和進一步研究。（C）

13. 提供外國圖書館事業及比較方法論與技術所需的基本資料。（S）

*C：主要是比較研究的目標、目的與價值。

**S：主要是該課程的目標、目的與價值。

第二部分　研究、書目與出版品

第三部分　方法論與技術：科學方法；
比較的本質；跨學科的條件

第四部分　某個圖書館系統的研究大綱

一、一般背景材料

1. 主要的歷史因素。

2. 地理與氣候。

3. 社會的因素：

　a. 居民總數；

　b. 種族和民族構成；

　c. 按姓別與年齡劃分的人群（成人、學齡兒童、六歲以下兒童、六十五歲以上老人）；

　d. 人口的城鄉分布，密度：

　e. 傳統的階級結構。

4. 經濟因素：

　a. 稅收及其他收入的來源及數量；

　b. 國民總收入及平均個人收人，國民生產總值；

　c. 主要行業、工業、服務業、各類從業人員的比例、生產率；

　d. 生活費用。

5. 文化因素（參見下列第7條）：

　a. 語言；

　　b. 主要宗教，其地位及影響，宗教信仰，宗教人口比例；

　　c. 價值體系；

　　d. 其他（如種族或性別隔離等）。

6. 政治因素：

　　a. 政府結構（中央、州、地方）；

　　b. 形式；

　　c. 中央集權的程度；

　　d. 政黨。

7. 教育因素：

　　a. 教育系統，每十萬人口擁有的學校和高等學校的數量，管
　　　轄，各種級別的財政資助；

　　b. 教育水準（受完教育所需年數）、文盲程度、義務教育；

　　c. 學齡兒童入學人數和比例；

　　d. 受高等教育學生的人數和比例；

　　e. 成人教育和基本教育的機構和計畫（例如農業區教育服
　　　務，掃盲計畫）；

　　f. 職業結構及職業教育。

8. 傳播媒體：

　　a. 報紙種數及發行量；

　　b. 書籍及雜誌的生產及傳播；書店；

　　c. 電影生產和觀看人數；

　　d. 廣播和電視。

二、圖書館系統

1. 歷史回顧：

　　a.圖書館傳統及歷史上的開端；

　　b.圖書館發展階段的重大事件；

　　c.圖書館數量及類型（參見第4條）。

2.圖書館目的和標準的新提法

3.圖書館管理：

　　a.國家對圖書館服務的責任：

　　　i.法律與法規；

　　　ii.資金維持與資助；

　　　iii.管轄與監督；

　　　iv.對圖書館的集中服務；

　　　v.其他直接或專門服務；

　　b.州、省、市在圖書館發展中的作用；

　　c.地方對圖書館服務的責任。

4.圖書館資源：數量、收入、人員、藏書、建築、服務及使用：

　　a.國立及州立圖書館；

　　b.公共圖書館；

　　c.學校圖書館；

　　d.學術圖書館；

　　e.專門圖書館；

　　f.「對外」圖書館（如：英國文化委員會、美國新聞處）。

5.圖書館資料（規模及特色）：

　　a.書籍及小冊子；

　　b.期刊與報紙；

　　c. 政府出版品；

　　d. 縮影與其他視聽資料；

　　e. 兒童及青少年資料；

　　f. 特殊問題：

　　　i. 語言問題；

　　　ii. 供文盲和初識字的成人的資料；

　　　iii. 其他（如供盲人用的書籍）。

6. 圖書館人員及訓練：

　　a. 現有的圖書館人員：

　　　i. 數量與資格；按（居民）人口計算的館員數；

　　　ii. 與其他行業比較的薪資和地位；

　　　iii. 學會；

　　b. 專業訓練計劃：

　　　i. 源起及數量；

　　　ii. 學術程度；

　　　iii. 課程；

　　　iv. 資格與證書；

　　　vi. 講授材料與方法；

　　　vi. 師資—數量和資格；

　　　vii. 圖書館資源；

　　　viii. 研究與出版品；

　　c. 學徒制及其他在職訓練計劃；

　　d. 赴外參觀學習：

　　　i. 赴外學習的機會和範圍；

　　　ii. 相當於赴外學習計劃的安排；

iii.赴外學習的優點與限制。

7.圖書館服務：

　a.依圖書館類型；

　b.依讀者類型：

　　i.兒童；

　　ii.學生；

　　iii.一般成人；

　　iv.特殊讀者群（如少數民族、犯人、有生理缺陷者、住院病人、商人及專業人員）；

　c.參考及資訊服務。

8.方法、工具、技術：

　a.採購：集中的、專門的、合作的（如斯堪地那維亞國家的採訪與處理中心、法明敦計畫、全國採購及編目方案、呈繳制度等）；

　b.國家及出版書目、書目控制；

　c.編目與合作編目；

　d.分類體系；

　e.外借，特別是館際互借。

9.圖書館發展的幾個方面：

　a.對現有的國家圖書館或其他類型圖書館計畫及研究的分析；

　b.圖書館所包括的範圍：數量上；質量上：

　　i.圖書館單位的規模、類型及分布；

　　ii.圖書館的協調與合作；

　c.圖書館財政：

i. 中央的、州的、地方的；

ii. 其他（如慈善基金等）；

d. 圖書館建築與設備；

e. 圖書館人員與訓練：

i. 專業的；

ii. 其他的；

f. 國際關係，國際合作的機會：

i. 圖書館員的交換或訓練；

ii. 示範操作等現場交流計畫；

iii. 出版物、縮影或其他資料的提供（包括翻譯、複製）；

iv. 捐贈或其他財政援助。

10. 總結及建議

a. 該圖書館系統的主要特點和成就；

b. 突出問題和缺點；

c. 爲調查研究推薦專題。

11. 經過選擇的參考書目

第五部分　下列選題的比較研究

一、圖書館學的教育

二、學術圖書館

三、學校圖書館與兒童圖書館服務

四、公共圖書館

五、國立與州立圖書館

六、專門圖書館

第六部分 國際圖書館合作和協助

一、機　構

1. 聯合國教科文組織（UNESCO）及其他國際機構
2. 國際圖書館學會聯盟會（IFLA）、國際資訊與文獻聯盟（FID）、國際大都會圖書館學會（INTAMEL）及其他圖書館學會。
3. 國立政府機構（如各國國家圖書館、英國委員會（British Council）、美國新聞處（USIS）、國際發展署（AID））。
4. 慈善基金會（如卡內基、福特、古本基安、洛克菲勒）。
5. 圖書館學校。
6. 其他（例如大學及其他圖書館）。

二、活　動

1. 圖書館員的教育和訓練；
2. 表演示範項目（如新德里公共圖書館）；
3. 赴國外實地研究；
4. 學術報告及其他會議；
5. 出版物；
6. 國際交換；
7. 其他。

三、問題與障礙

1. 規劃設計；

2. 財政；

3. 人員；

4. 實地調查及研究；

5. 資料的翻譯及改編；

6. 資源和服務之協調；

7. 地理距離；

8. 語言；

9. 現行措施之差異—既得利益；

10. 階級結構、宗教信仰及價值標準體系方面的差異；

11. 惰性。

附錄二：國際圖書館學與比較圖書館學課程大綱(林瑟菲,1981:23)

一、概論與文獻書目

二、定義與目前研究狀況調查

三、國際圖書館之間的合作

  1.專業協會(如：國際圖書館學會聯盟(IFLA)、國際資訊與文獻聯盟(FID)、國際檔案理事會)

  2.其他專業組織及合作規劃(聯合國教科文組織、國際書目控制、國際出版物共用(UAP)、國際標準)

四、專業教育的國際方面問題

五、本國在圖書館學與資訊科學中的國際活動(包括專業學會的功用)

六、地區研究(選擇性及世界性)

七、不同題目的比較研究,如：

  1.圖書館的類型

  2.圖書館系統

  3.圖書館服務

  4.圖書館技術

  5.圖書館管理

  6.圖書館法規

  7.專業教育

　　8.圖書館與科訊服務的國家規劃

八、摘要與評價

　　廣泛使用說明這些研究的視聽材料及客座講演是非常理想的。

附錄三：一個國家（地區）研究大綱範例（林瑟菲，1981：23—24）

一、背景資料

1. 歷史、政治和經濟因素

   包括該地區基本統計數字、人口等。

2. 文化水準與教育系統。

二、圖書館與資訊系統

1. 發展狀況

   歷史概況。

2. 結構

   圖書館的類型：國家圖書館、學術與研究圖書館、公共圖書館、學校圖書館、專門圖書館，有名的藏書及傑出的圖書館；圖書館統計；國家規劃。

3. 圖書館的管理

   採用的分類法；圖書資料的獲取方法；提供的服務；技術設備等等。

4. 圖書館學與資訊科學的教育

   教學大綱與學院。

5. 圖書館法規

6. 專業學會

其活動及出版品。

7. 圖書館之間的合作

國內與國際之間、區域與國際團體中的成員數量、網路、參與的計畫。

三、出版工業與圖書業

1. 簡要綜述，統計，主要出版社，組織機構，圖書館與圖書業之間的關繫。

2. 國家書目控制

現行及回溯性的國家書目控制，圖書業書目，和圖書館員使用其他採購工具書。

四、摘要

1. 圖書館事業的主要特點及成就

包括現在和過去有名的圖書館員的資料。

2. 發展趨勢，尤其是與資訊業有關的發展趨勢，需要研究的地區。

五、選擇的文獻書目

主要資料來源的詮釋目錄，包括通用及專用參考工具書、圖書及期刊。

中 文 索 引

一五劃一

－十二劃－

西 文 索 引

— C —

Holmes, Brian 104, 116

Horizontal comparison 16, 118

— I —

IAALD (International Association of Agricultural Librarians and Documentalists 152, 161-163, 191, 214

IAD (International Association of Documentalists and Information Officers 152, 163-164, 214

IADLA (International Association for the Development of Documentation, Libraries and Archives in Africa 152, 160-161, 214

IALL (International Association of Law Libraries) 152, 164 -165, 214

IAML (International Association of Music Libraries, Archives and Documentation Centres 151, 167-171, 214

IAOL (International Association of Orientalist Librarians) 152, 170-171, 215

IASA (International Association of Sound Archives) 152, 171-173, 215

IASC (International Affairs Sub Committee) 62

IATUL (International Association of Technological University Libraries 152, 173-175, 215

IBBY (International Board on Books for Young People) 151, 175-176, 191, 215

ICA (International Council on Archives) 151, 171, 180-184, 191,

— P —

— Q —

— R —

— S —

國立中央圖書館出版品預行編目資料

比較圖書館學導論／薛理桂主編. -- 初版. --
　　臺北市：臺灣學生，民83
　　面；　公分. --（圖書館學與資訊科學叢書；31）
　　參考書目；面
　　含索引
　　ISBN 957-15-0614-1（精裝）. -- ISBN 957-15-0615-X
（平裝）

1.圖書館學 - 比較研究

020　　　　　　　　　　　　　　　　　　　　83003538

比較圖書館學導論（全一冊）

主　編　者：薛　　　理　　　桂
出　版　者：臺　灣　學　生　書　局
發　行　人：丁　　　文　　　治
發　行　所：台　灣　學　生　書　局
　　　　　　臺北市和平東路一段一九八號
　　　　　　郵政劃撥帳號〇〇〇二四六六八號
　　　　　　電　話：三　六　三　四　一　五　六
　　　　　　ＦＡＸ：三　六　三　六　三　三　四

本書局登
記證字號：行政院新聞局局版臺業字第一一〇〇號

印　刷　所：淵　明　電　腦　排　版
　　　　　　地址：永和市福和路一六四號四樓
　　　　　　電話：二　三　一　三　六　一　六

定價　精裝新臺幣三一〇元
　　　平裝新臺幣二五〇元

中　華　民　國　八　十　三　年　五　月　初　版

02706　版權所有·翻印必究
　　ISBN　957-15-0614-1（精裝）
　　ISBN　957-15-0615-X（平裝）

臺灣 **學生書局** 出版

圖書館學與資訊科學叢書